A TRISTEZA EXTRAORDINÁRIA
DO LEOPARDO-DAS-NEVES

A marca FSC® é a garantia de que a madeira utilizada na fabricação do papel deste livro provém de florestas que foram gerenciadas de maneira ambientalmente correta, socialmente justa e economicamente viável, além de outras fontes de origem controlada.

JOCA REINERS TERRON

A tristeza extraordinária do leopardo-das-neves

1ª reimpressão

COMPANHIA DAS LETRAS

Copyright © 2013 by Joca Reiners Terron
Todos os direitos reservados

Grafia atualizada segundo o Acordo Ortográfico da Língua Portuguesa de 1990, que entrou em vigor no Brasil em 2009.

Os personagens e as situações desta obra são reais apenas no universo da ficção; não se referem a pessoas e fatos concretos, e sobre eles não emitem opinião.

Capa
Retina_78

Foto da Capa
DR/ Jorge Pineda. Cortesia de Lyle O. Reitzel Gallery, Santo Domingo, República Dominicana

Preparação
Cacilda Guerra

Revisão
Márcia Moura
Luciana Baraldi

Dados Internacionais de Catalogação na Publicação (CIP)
(Câmara Brasileira do Livro, SP, Brasil)

Terron, Joca Reiners
   A tristeza extraordinária do leopardo-das-neves / Joca Reiners Terron. — 1ª ed. — São Paulo : Companhia das Letras, 2013.
   ISBN 978-85-359-2234-9

   1. Ficção brasileira I. Título.

13-02913   CDD-869.93

   Índice para catálogo sistemático:
   1. Ficção : Literatura brasileira 869.93

[2013]
Todos os direitos desta edição reservados à
EDITORA SCHWARCZ S.A.
Rua Bandeira Paulista, 702, cj. 32
04532-002 — São Paulo — SP
Telefone: (11) 3707-3500
Fax: (11) 3707-3501
www.companhiadasletras.com.br
www.blogdacompanhia.com.br

Para Egípcia do Crato,
que a ouviu enquanto dormia

Ao Teatro da Vertigem

*Dois mil peles-vermelhas
pálidos mas sólidos
deixam a família para morrerem à parte.*

Max Ernst

Sumário

1. O escrivão: *Hábitos noturnos*, 11
2. Mundo animal: *A voz humana*, 35
3. O escrivão: *Telefonemas*, 79
4. Mundo animal: *Porfiria*, 93
5. O escrivão: *Mariposa fulva*, 119
6. Mundo animal: *Ossos, carótida*, 135
7. O escrivão: *Animália*, 163

1. O escrivão:
Hábitos noturnos

Não durmo há duas semanas. Mas antes já não dormia muito bem. Até então, até deixar de dormir, eu preparava o desjejum logo após o velho abrir os olhos e daí seguíamos para o trabalho. Todo dia era o mesmo dia. Do final de meu expediente noturno no distrito policial ao início da manhã sobravam duas ou três horas nas quais eu nadava nos lençóis, afundando sem conseguir atingir a outra margem. Depois, na mercearia, enquanto o velho se ajeitava na cadeira detrás da caixa registradora, seu posto habitual dos últimos sessenta e cinco anos, eu orientava meio sonâmbulo nosso único funcionário acerca da reposição de produtos, remarcação de preços e suas demais obrigações. O boliviano — era o rapaz de sempre ou um novo? — arrancava devagarinho as etiquetas das embalagens de *beigale*, *varenike* e *challah*, muito devagarinho; as pilhas do relógio da parede estariam no final? Os ponteiros pareciam imóveis, silenciosos demais, minhas pálpebras pesavam, sobrava espaço nas prateleiras e também minutos entre os ponteiros. Os negócios não iam bem. Na fresta escura das latas de óleo de gergelim, lá do fundo, um par de olhos me observava. Não costumava conversar com ninguém depois disso, a não ser pelos telefonemas de cobrança cada vez mais frequentes, e acompanhava o velho trocar frases em iídiche ao longo da tarde com um cliente tão antigo quanto ele próprio, seu amigo Glass, outro sobrevivente das reuniões do Yugent Club no prédio da Zukunft. Eu imaginava o teor daquelas conversas, os possíveis assuntos entre um afásico e um amnésico, quanta novidade inacessível era trocada ali. As visitas cessaram desde que o dr. Glass se matou faz duas semanas, no dia de seu aniversário de cem anos. A partir daí tudo desandou, inclusive meu sono. Em seguida, o velho também tentou se matar. Um dia, ao voltar de meu plantão no 77º Distrito Policial, encontrei-o no banheiro com o barbeador de plástico barato na mão. Transtornado, sem compreender direito seu fracasso, ele esfregava o aparelho com força contra o próprio pulso. De início, pensei que estivesse de brincadeira. A lâmina de barbear servia apenas para machucar de leve sua pele senil, deixando uns vergões meio azulados. Era suficiente para arranhar, mas não para ferir de verdade. Parado no batente da porta, repeti seu nome duas ou três vezes, procurando não assustá-lo. Ele então deixou o barbeador cair na poça amarela, as barras das calças do pijama ensopadas de urina. Olhou para mim, mas não me reconheceu: seus olhos não tinham luz. Seu corpo lembrava um saco de estopa em vias de ser esvaziado, um entulho deixado para trás que o gato, saindo das prateleiras, cheirou por tempo suficiente apenas para dar meia-volta. A cena era absurda e um tanto cômica. Mas tudo isso aconteceu ontem à noite, pertence ao passado. Estou na delegacia, não ouço nenhum ruído nas celas e vejo sombras lá fora, viciados em crack que se esparramam pelas ruas. No entanto, não consegui repousar e ontem ainda é hoje, assim como anteontem continua a ser ontem. O passado está para acontecer. É agora, vai ser amanhã. A eternidade se concentrou num dia que não passa nunca. Tenho dúvidas se voltarei a dormir. Enquanto isso, vou permanecendo aqui. Aguardo a claridade restituir as frações do dia, seus minutos e segundos. Até o sol arrebentar contra o muro dos fundos da delegacia feito uma ambulância que perdeu os freios. Até que outra noite venha restabelecer a ordem.

O café da delegacia tem gosto de meia fervida. Entorno o resto da garrafa térmica na pia e coloco água no fogo. Deve ser o plantão mais tranquilo dos últimos anos. Os policiais estão todos fora, caçando viciados, "limpando a cidade", como diz o Alto-Comando. Querem esvaziar as ruas para ficarem bonitas. Talvez aproveitem e coloquem margaridas nas sacadas dos prédios invadidos. Hoje não vai ter ocorrência alguma, nenhum travesti preso, os traficantes aproveitaram para descer até Praia Grande. Dia de bandido passear com a família no Minhocão, isso sim, sem ninguém no pé, tão livres quanto folhas caídas de um galho superior. Estou só com os suspeitos. A sra. X está na sua cela, tentando controlar a tremedeira das mãos. O taxista já era. E o entregador do mercado foi liberado. Aposto que a tia não lhe serviu nenhum prato quente quando chegou à sua nova casa. E a criatura permanece isolada no quarto escuro do final do corredor, protegida pelas janelas cujos vidros foram pintados de preto. Na total escuridão. Não é possível vê-la, mas dá para sentir seu cheiro daqui. Parece o do café que acabo de jogar fora. O silêncio é tão denso que posso ouvir o barulho das bombas de gás lacrimogêneo lançadas pela PM na Júlio Prestes, explosões suaves que se perdem na distância. Encho o copo de café e saio do prédio. Acima do estacionamento da delegacia, um céu todo estrelado. Nem parece que é o centro da cidade. As luzes dos arranha-céus e dos escritórios estão apagadas. Não restou quase ninguém na área enquanto a polícia age, exceto, claro, aqueles que não têm aonde ir. Uma faxineira debruçada preenche a extensão de uma janela com sua silhueta. Não há sinal de poluição nas nuvens, a não ser a da fumaça do café subindo devagarinho do copo em minha mão, desenhando círculos que se dissipam no escuro. Se fecho os olhos e pressiono as pálpebras com força, as estrelas desaparecem quando os abro, mas isso acontece só por uns segundos. Depois elas se fixam outra vez e voltam a girar e a girar. É como se eu estivesse preso em uma jaula e ao dar voltas sobre o meu próprio eixo pudesse escapar de grades imaginárias, atravessá-las com o corpo. Desaparecer. Experimento fazer isso várias vezes. Fecho os olhos. Quando os abro, tem um viciado quieto diante de mim. Também está com os olhos bem abertos, como eu. Carrega seu cobertor, a bandeira pirata de um navio incendiado. Seu aturdimento é tal que ao fugir da perseguição dos policiais pulou o muro dos fundos da delegacia sem saber aonde entrava. Ele então vê o imenso brasão da Polícia Civil estampado na parede às minhas costas, dá um tapa na própria testa num gesto de compreensão súbita e sai em fuga, pulando outro muro, enroscando-se nas farpas da grade, caindo fora. Deixa o cobertor e seus miasmas aos meus pés. Fecho os olhos outra vez. O cheiro de merda misturada a crack do homem ficou no ar. Abro os olhos. Estrelas giram, giram. O noia escapou, eu continuo aqui. O café tem o gosto desse cobertor. No chão, reparo nos três rottweilers do taxista, enrolados em sacos plásticos pretos. Não escaparam. Não conheciam meu método de abrir e fechar os olhos e atravessar grades. Também não sabiam saltar muros como o noia. Esses cães deveriam ter sido cremados após serem sacrificados. Os idiotas da limpeza esqueceram de fazer isso. Não chamaram o pessoal do Centro de Controle de Zoonoses. Por acaso, se eu lhes jogasse um osso, os rottweilers se levantariam e abanariam o rabo, mesmo cortado? Farejariam vestígios de seu dono na cela vazia ou iam preferir caçar o viciado que acabou de fugir?

A fidelidade desses animais é incompreensível, insistem em abanar seu coto para quem o separou do rabo. Quando terminar este jogo de abrir e fechar os olhos, vou avisar o pessoal do CCZ. Esses cães fedem a carniça. Sim, eles conseguiram escapar. Estão bem longe agora.

Antes do episódio da tentativa de suicídio, o velho e eu nos recolhíamos ao piso superior da mercearia assim que escurecia. Eu o levava até o banheiro e lhe fazia a higiene, depois preparava *wurst* com batatas ou sopa de lentilhas e arrumava sua cama. Ele resistia a dormir e pedia que eu lhe contasse histórias de animais. Conte umas fábulas, pedia todas as noites, alguma de Esopo, dizia em seus melhores momentos, mas isso foi bem no início da doença, depois não lembrava de mais nada e eu era obrigado a contar histórias só por uns minutos. Não eram necessários muitos. Tenho pouca imaginação, então relatava o que acontecia em minha segunda jornada, falava sobre os depoimentos que colhia no 77º Distrito Policial, casos que investigava, uma ocorrência bizarra no Nocturama, o passeio noturno do jardim zoológico. Era mais fácil do que inventar, e ademais Esopo foi executado por fraude. Em pouco tempo, o velho adormecia. Nas noites seguintes à primeira tentativa de suicídio, após o incidente do barbeador, não tive alternativa senão sedá-lo antes de sair. Temia encontrá-lo morto ao voltar do plantão. Meu receio era que se matasse enquanto eu trabalhava no DP. Não que me importasse, seria um alívio, porém preferia não ter que lidar com situação tão complicada. Eu não podia pensar direito devido à insônia e ao cansaço, e tudo continuava igual, talvez pior. Antes de sair, servia um copo d'água para ele e um comprimido que dizia ser vitamina C. O velho relutava um pouco, mas tomava o medicamento. Não me passou pela cabeça que um só comprimido pudesse matá-lo, pois o importante era que dormisse a noite inteira enquanto eu estivesse fora. Então ele pedia novas histórias de animais, todas as noites, histórias que ouvia de olhos revirados para a janela como se acompanhasse na cortina as projeções daquilo que eu narrava. E logo dormia. Na noite seguinte, pedia de novo. Me pergunto o que devia sonhar, se a normalidade perdida na vigília era restabelecida durante os sonhos, ou mesmo se isso era possível depois de tomar um Lorax. É um despropósito, eu sei, mas pode ser que tudo estivesse invertido, e que a confusão onírica se transferisse para a realidade cotidiana e vice-versa, talvez seus sonhos fossem organizados como a sua vida deveria ser. Talvez houvesse alguma *lógica* neles, ao contrário do que ocorria diante de nossos olhos abertos, ao contrário do que acontece na vida ou durante a insônia, neste mundo de peixes sem pálpebras soltando bolhas de ar.

Os sintomas da demência do velho começaram quando minha mãe ainda estava viva. Isso faz tanto tempo que só consigo lembrar de seu rosto se observar com atenção o único retrato dela dependurado no corredor. Naquela fotografia de cantos carcomidos pela umidade minha mãe lembra um fantasma, pois sua estampa começou a se dissipar de tal forma que agora está transparente. Tenho dúvidas se isso faz sentido (talvez seja apenas minha visão embaralhada), mas consigo ver detalhes da delicada tranca de louça do guarda-roupa que fica atrás dela no retrato, encostado na parede, e a borda pontuda da cortina de voile da janela à sua direita, invadindo o espelho dependurado na porta do guarda-roupa, cuja superfície no entanto não reflete minha mãe e sim a parede adiante, fora do campo de visão abrangido na fotografia. Na janela, dá para ver os salgueiros-chorões. Vejo tudo isso *através* da imagem desbotada de minha mãe, que ficou translúcida no reflexo do espelho. Devo estar confuso com a insônia. A deterioração do papel fotográfico é tamanha a ponto de deixar umas manchas parecidas com sóis negros ou queimaduras na margem esquerda da foto. Essas manchas invadem o rosto dela ou a área onde deveria estar seu rosto e não está, pois não há mais vestígios de olhos, nariz ou boca. Contudo, de acordo com a lógica que se estabeleceu no espaço daquela imagem, definitiva até a completa desaparição dos pigmentos deixados pelo nitrato de prata, calculo que deveria ser possível ver as costas de minha mãe refletidas no espelho, suas costas e também a parte traseira da saia na altura da cintura, porém nada aparece no reflexo, nem isso e muito menos o fotógrafo ou um mero detalhe que seja dele, um cotovelo arqueado que fosse ao segurar a câmera, que não devia ser pequena (e pela antiguidade da fotografia nem ao menos era portátil) ou então o bico gasto de sua botina. Seria o velho o autor daquele retrato? Talvez esteja invisível na foto assim como a velha, no entanto ela ainda pode ser levemente percebida — pela forma de sua cabeça pender à esquerda na silhueta abaulada parecendo a de uma grávida, como se suportasse demasiados problemas —, mesmo que seus detalhes fisionômicos não sejam visíveis, mesmo que sua voz não esteja mais audível. O velho está ausente até na fotografia na qual não deveria estar. Aquele retrato de minha mãe é a única fotografia de nossa família. No verso há uma anotação que diz: "Retrato realizado na casa da rua Tocantins, nº 905, Bom Retiro, São Paulo, maio de 1945". Era o endereço de um prostíbulo.

Ao pensar em minha mãe, lembro de sua voz ocupando toda a casa. Em geral ela cantava na cozinha, enquanto fazia o jantar, ou então no banheiro. Também no quarto de casal, só para o velho (eu vivia de ouvido colado à porta). Sua voz preservava a qualidade musical mesmo quando ela dizia um palavrão. Ainda pequeno, eu tinha o costume de fazer a seguinte brincadeira: esquecia o rosto de minha mãe de propósito. Bastava ficar algumas horas sem vê-la na escola, ou então passar a tarde jogando futebol no campinho de várzea sem procurar seu rosto entre as traves ou perdido nas nuvens, e daí eu conseguia apagar todos os traços da lembrança dela. Apagava um a um, vincos do sorriso, rugas de felicidade da testa, dobrinhas franzidas para baixo ao lado dos olhos escuros. E só então os olhos, o nariz e a boca. Restava apenas a voz, límpida e forte, ordenando que eu fosse tomar banho, me chamando para jantar, esculhambando comigo. Contando histórias antes de dormir. Cantarolando baixinho uns boleros para mim, seu hálito quase derretendo minhas orelhas. Ela adorava contar a história do boneco de neve que se apaixonava pelas labaredas do fogão. Lembro da vibração tênue da voz de minha mãe ao se referir tantas vezes àquele boneco de neve meio idiota. No início eu não entendia o quanto era terrível. O boneco de neve tinha o entusiasmo de uma criança recém-nascida. Confundia o sol com a lua. Sua vaidade não conhecia tamanho, achava que seu brilho era idêntico ao dos astros. Era um completo ignorante sobre a vida, até começar a conversar com o cão acorrentado diante da casa, um cão velho e sábio que sugere o tempo todo ao boneco de neve que ele não fique tão entusiasmado assim com o brilho do sol, ei, pois afinal quem não sabe o que o calor faz aos bonecos de neve? No entanto a nevasca chega, e o boneco fica ainda maior e mais cheio de sua importância e de sua beleza. Quando a história atingia esse ponto, a voz de minha mãe adotava ingenuidade idêntica à refletida pelos olhos de cacos de vidro do boneco de neve, uns olhos que os moleques lhe deram para que visse o mundo daquele jeito quebrado, incerto, e eu o enxergava do mesmo jeito que ele graças à voz de minha mãe. O boneco, após ser esclarecido pelo cão, au, a respeito da cozinha que ambos viam pela janela, e de como à volta do fogão era um lugarzinho bem quentinho e tão diferente de tudo ali fora, do quintal soterrado pelo gelo, da lua fria e triste, apaixona-se pelas chamas avermelhadas a lamberem o fogão. E assim ele se esvai: com a chegada do calor, começa a derreter aos poucos, ui, até escorrer ao meio-fio e sumir na boca de lobo. Quando isso acontece, o cão compreende o arrebatamento do boneco de neve pelas chamas: os meninos que o construíram o haviam sustentado sobre o cabo de uma pá de jogar carvão no forno. Sempre tem um cão acorrentado para nos alertar dos perigos da realidade, e assim era comigo, o jogo de esquecer os traços de minha mãe virava um suplício, pois ao retornar para casa, vindo da escola ou do campinho, eu realmente não lembrava mais do rosto dela, e ao atravessar ruas e praças meio desesperado, sem ao menos olhar para os lados apenas para chegar mais rápido em casa, e daí subir ofegante a escada e quase arrombar a porta, eu fazia isso tudo acreditando que ao pisar o tapete da sala atraído por sua voz que cantarolava na cozinha, e ao atravessar o corredor aos prantos, eu tinha certeza de que, quando ela se virasse na pia da cozinha onde se encontrava para mim, que corria em sua direção, que ao olhar para mim ela não teria mais olhos, e não teria mais nariz e a voz que saía dela sairia de algum outro lugar que não era mais sua boca, seria só a sombra de sua boca, pois os traços de seu rosto não existiriam mais e ela olharia para mim sem olhos e falaria comigo sem lábios e então ela contaria pela milésima vez o final da história, dizendo "e ninguém voltou a pensar no boneco de neve".

Minha falta de lembranças é acentuada pelo fato de eu ter saído cedo de casa, ainda na adolescência. Vivi num kibutz em Israel uns anos, numa fase sionista de minha vida, depois de viajar pelo Leste Europeu e pela região da Rússia de onde meu pai tinha vindo, ou ao menos de onde eu pensava que ele tinha vindo (nunca tive certeza). Lá me casei, mas esta é uma história que prefiro esquecer, que já esqueci. Que parece nunca ter acontecido, do mesmo modo que a militância sionista que representava uma busca patética por raízes que afinal nunca existiram. Imigrantes têm raízes aéreas idênticas às de uma orquídea que absorve água da atmosfera. O casamento teve um triste final, ou uma conclusão meio óbvia: ela identificou as minhas *inconsistências*, como dizia, e desistiu antes do combinado, eu fiquei para tio e *The End*. Foi nessa época, quando completava cerca de uma década de ausência, ou de inexistência, ou de intenso conflito com minhas próprias *inconsistências*, que recebi em Israel um telefonema do velho avisando da morte de minha mãe. Tinha câncer e eu nem ao menos me inteirei disso. Não conversávamos com a devida regularidade. Minhas andanças não me permitiam ser localizado com facilidade, e os velhos acabaram se conformando com o silêncio do telefone e da campainha de casa. O acaso simultâneo dessas duas mortes (a ex não morreu, embora eu prefira *inconsistentemente* pensar que sim) me fez voltar ao lugar onde cresci, a este ponto morto diante do retrato onde minha mãe algum dia esteve, mas não está mais. Onde meu pai nunca coube. Voltei feito o salmão que torna ao lugar onde nasceu para morrer. Mas antes de isso acontecer, no final da adolescência, precisei sair do Bom Retiro por causa dos índios. Na realidade nada teve a ver com o fato de ser judeu e com a errância dos judeus, pois minha mãe não era asquenaze igual ao velho, longe disso, e portanto eu não estava, digamos, atado a nenhum atavismo, muito pelo contrário, sempre fui uma mariposa fulva e insone, como um dia me chamou o dr. Glass. No entanto, durante minha infrutífera procura por raízes no deserto, vamos dizer que estive, nem que fosse ilusoriamente. A fuga teve tudo a ver com os comanches, isso sim, com a extinção dos comanches conforme li num livro de história que eu adorava e do qual não larguei nem por um só segundo quando tinha dez, onze anos de idade. Meu pai fugiu dos pogroms da Rússia — ao menos foi o que sempre pensei, devido à época em que ele chegou aqui — e passou a viver no Bom Retiro como se nunca tivesse existido outro lugar, como se ele tivesse nascido ali mesmo no porão do sobrado da rua Prates, onde viviam os lituanos que o abrigaram. É típico dos imigrantes: sofrem ao partir de sua terra natal, depois passam misérias por não pertencerem ao lugar para o qual migraram e então, de hora para outra, esse lugar lhes pertence como se tivesse sido sempre seu, e daí passam a não admitir a entrada de mais ninguém. Abominam "os estrangeiros" (é assim que chamavam e ainda chamam os sefarditas e mizrahim), encontram-se na *pletzel* para saber quem vem e quem vai, se o arquiduque Francisco Ferdinando foi realmente assassinado, se a Primeira Guerra acabou, se o Império Austro-Húngaro não mais existe, quais as notícias do *Unzer Shtime*, se a pedra fundamental do Zukunft Club será lançada, se Hitler invadiu a Polônia, se haverá reunião no clube trotskista e baile na rua Aimorés e se Ben-Gurion fez o que prometeu e se afinal os Hirschberg mudaram para Higienópolis de vez. Quando o velho saiu de baixo do piso da sala na qual a família Lubavitch ouvia notícias do mundo pelo rádio, do úmido porão do sobrado da rua Prates onde ele armazenava gravatas que era obrigado a secar com ferro de passar antes de vendê-las na praça do Patriarca na manhã seguinte, quando o velho saiu de lá não havia mais nenhum bisonte galopando sobre a Terra. Então os bisontes já estavam extintos fazia muito tempo.

Aconteceu mais ou menos como com os peles-vermelhas. Depois das guerras contra os brancos, a nação comanche foi confinada a uma reserva em Oklahoma. Contra a vontade, de nômades passaram a sedentários e começaram a plantar, mesmo desprezando a agricultura e a inércia. Porém os índios continuaram a sonhar com as pradarias texanas nas quais caçavam bisontes em cima de seus mustangues, isso muito antes da queda, do quase extermínio após a derrota final. Então surgiu um líder, Quanah Parker, um mestiço, filho de uma mulher branca que havia sido sequestrada e ficou vivendo com os índios. Obcecado pela liberdade, Quanah Parker promoveu concessões, negociou, foi submisso ao homem branco, muito matreiro, bastante sábio, tudo para conseguir voltar à pradaria, para os comanches tornarem a ser os nermernuh, como se autodenominavam em sua língua, "O Povo", e a caçar bisontes na borda do precipício e a serem impulsionados pelo vento, era isso tudo o que eles queriam, voltar a cavalgar e a distender seus arcos e a apontar seus rifles e a caçar os animais que eram tudo para eles, desde a roupa que vestiam e a casa onde moravam à comida que alimentava sua prole e seus totens religiosos. Assim, os comanches comandados por Quanah Parker atravessaram os Estados Unidos da América de volta ao Texas em longos dias até a região onde nasceram, iguais ao salmão que retorna à nascente para morrer, iguais a mim que voltei à casa de meus velhos, mas por qual motivo mesmo? Quando lá chegaram, os comanches encontraram uma imensa planície coberta de ossos de bisontes embranquecidos pelo sol. Mais nenhum animal galopava no horizonte. Não era mais possível ouvir o tropel das manadas e sentir a terra tremer, antecipando sua chegada. A vida como eles a conheciam não existia. Desse modo, a nação dos bravos nermernuh não tinha mais como sobreviver. Os índios montaram em seus cavalos e voltaram cabisbaixos para a reserva em Oklahoma. Lá eles morreram, no entanto já haviam morrido antes, com os bisontes e com o modo de vida que representavam. É mais ou menos como se Deus tirasse o McDonald's de toda essa gente aí. Para meu pai, equivale à desaparição da *pletzel* na qual os judeus se encontravam aos domingos para conversar. O lugar da pracinha continua lá, mas o Bom Retiro dos tempos do velho desapareceu qual bisontes da pradaria, levando junto os domingos e as suas manhãs. O dr. Glass foi o penúltimo a partir.

Sou filho único. Ao menos era o que pensava ser. Difícil explicar qual é a sensação de ser sozinho e mesmo assim nunca ter recebido atenção. É como ser um animal extinto ou um comanche apartado de seus bisontes. Um mundo sem McDonald's. Talvez eu esteja precisando dormir um pouco, isso sim (a insônia), e abandonar esta vida de mariposa fulva. Eu não devia abusar tanto das anfetaminas, comecei com remédio para emagrecer e agora estou assim, gordo e sem dormir. De início, quando voltei para casa, o trabalho de escrivão servia como fuga das obrigações na mercearia. Dois meses inteiros comparecendo todo dia à empresa familiar foram suficientes para perceber que eu não aguentaria por muito tempo a companhia silenciosa do velho. Ademais, nunca gostei de trabalhar detrás do balcão, pois os clientes sempre me confundiam com um empregado qualquer, já que não pareço nada com ele. Depois, percebi que o plantão noturno aqui na delegacia (preenchido na maior parte por apreensões de traficantezinhos, de prostitutas e cafetões e ocorrências de veículos roubados) era ideal para insones feito eu, para mariposas fulvas e insetos noturnos arruivados, embora esta descoberta tenha sido precedida por outra bem pior, a de que na verdade eu nunca mais conseguiria dormir após ouvir as histórias contadas no trabalho. O que acontece aqui no 77º DP acaba endurecendo a gente, isso sim. Então contei ao velho todas as noites o que ouvia até que ele adormecesse. Contar histórias tão horríveis fazia tanto sentido quanto contar outra qualquer, com a diferença que funcionava. O ideal seria também dar certo comigo e que eu dormisse ao ouvi-las, mas que nada, só fico mais acordado por causa dos Inibex. Rotina de escrivão pode ser bem monótona. Muita conversa de policial com tempo livre. Não é como hoje, pois estão todos na rua. O turno da noite, porém, costuma ser mais movimentado e acabei optando por ele ao passar no concurso para escrivão. Para "escravão", como dizem os tiras. Aconteceu que o velho piorou cerca de um ano após eu ter ingressado na corporação. Foi nessa época que começaram os telefonemas dos credores. Um dia, no meio da tarde, o telefone da mercearia tocou. Atendi. Do outro lado, uma voz grossa procurava pelo velho. Respondi que não estava, perguntei quem gostaria. Não respondeu. Quando insisti de novo, a ligação caiu. Fui à cozinha dos fundos atrás de explicações do velho, mas não o achei. Encontrei-o no banheiro em frente ao espelho. Mantinha o braço direito dobrado sobre o ventre feito um garçom com sua toalha ao atender pedidos, e dizia palavras em iídiche que não compreendi. Só depois que ele saiu daquela espécie de transe e voltou a se encarapitar em sua cadeira alta detrás da caixa registradora é que percebi o que fazia. O velho devia lembrar de seus tempos de mascate na juventude, quando vendia gravatas na praça do Patriarca. Era assim, com o braço fixo diante do ventre, que oferecia seus produtos aos clientes. Então a doença já havia detonado a cabeça dele.

Na tarde seguinte o telefonema se repetiu. Reconheci a mesma voz grossa que parecia saída das profundezas de um nariz perguntando pelo nome e pelo sobrenome do velho, pronunciados muito corretamente. Essa correção era bastante incomum, pois nosso sobrenome também é incomum. O telefonema era incomum. O horário da ligação, idêntico ao do dia anterior, coincidia com a merenda que o velho costumava fazer, e que eu o lembrava de tomar com seu chá vespertino, um momento em que nos bons tempos ele sempre estava em casa. Isso também era incomum. Então, como a voz do outro lado de novo se recusava a se apresentar ou a fornecer qualquer referência, pedi que aguardasse, depositei o aparelho de lado e fui até a cozinha, de onde veio um baque seco. Ao lá chegar, encontrei o velho estatelado no chão, de bruços no piso gelado e com os braços agarrados ao vazio. Estava desacordado. Ainda presa aos dedos, parte de uma garrafa de leite da qual, pelas sobras de líquido em volta da boca aberta que embranqueciam ainda mais os pelos de seu nariz, ele bebera do gargalo. Medi seus batimentos cardíacos, pressionando o pulso ainda marcado pelos arranhões do aparelho de barbear. Estavam fracos, quase imperceptíveis. Gritei pelo boliviano, que demorou a aparecer. Assim que o rapaz chegou para vigiá-lo, lembrei do telefone. A chamada desconhecida havia caído. Chamei uma ambulância. No pronto-socorro, o médico explicou que tinha sido por pouco, o velho sofrera uma embolia pulmonar causada pelo excesso de líquido. Através de uma sonda retiraram quase um litro de leite de seus pulmões. O médico não podia compreender como tanto leite chegara lá. Ele me perguntou sobre as condições psicológicas do paciente, se havia alguma anomalia a ser informada. Expliquei sobre a demência, falei inclusive a respeito do incidente do aparelho de barbear. Aquiescendo, o médico tossiu, limpando a garganta, então afirmou que aquilo confirmava sua hipótese, e que não era tão raro que velhos dessem entrada no PS com quadros clínicos semelhantes. Introduzir grande quantidade de leite pelas vias respiratórias era uma alternativa de suicídio relativamente popular entre a população idosa da cidade, acrescentou. Era a Morte Por Afogamento Domiciliar, MAfoDo ou *MEfoDo*, como chamavam de brincadeira no pronto-

-socorro. Não soube explicar a preferência dada ao leite pelos quase suicidas. Afinal, inalar água causaria o mesmo efeito. É claro que o médico era um idiota.

A doença tardou a ser diagnosticada por um motivo bem simples: o velho falava pouco. Era tão introspectivo a ponto de suas variações de comportamento não serem percebidas com facilidade nem por seus próximos. A quietude, um traço de temperamento, era ampliada pela austeridade da vida (desde o casamento com minha mãe a comunidade judaica do bairro quase parara de comprar na mercearia, e o caixa não saía do vermelho), e piorou com a morte da velha, seguida de outras mortes dos poucos amigos que imigraram juntos, como o dr. Glass, e daqueles saídos do Bom Retiro e dos quais não mais se ouvia falar até estamparem um necrológio, mas não nas páginas do *São Paulo Yiddish Zeitung*, e sim na *Folha* ou no *Estado*, e isso indicava a condição assimilada do defunto. O silêncio do velho aumentou com essa sucessão de mortes que aos poucos desbastou a população do bairro, culminando no suicídio do dr. Glass. A perda de interlocutores, apesar de nunca terem sido muitos, lhe permitiu viver como num freezer, o homem sempre foi uma porra de uma geladeira, um verdadeiro bolinho de pastrami congelado. A morte do dr. Glass de certo modo mudou isso. O velho nunca se mostrou tão eloquente quanto nas suas duas tentativas de se matar, primeiro esfregando aquele ridículo prestobarba com lâmina cega no próprio pulso, depois enchendo a cara de leite através do buraco errado. Ele estava falando ali naqueles suicídios fracassados, e falava e falava como nunca antes tinha falado, uma verdadeira catarata de palavras, uma matraca pedindo socorro, um cano de escapamento estourado que dizia chega, acabou a brincadeira, fui, já deu. Eu até estava disposto a ouvir o que ele tinha a dizer, e para isso tinha enfiado num saco bem fundo não sei quantos ressentimentos filiais que vinha colecionando desde a infância, creio que desde a primeira ocasião em que meu pai mudou de calçada ao me ver me aproximar. Então passava do meio-dia e eu vinha da escola com um colega de classe quando percebi o velho vindo em nossa direção. Caminhava como se tateasse com a palmilha do sapato um metro desconhecido de terreno a cada passo, era esse o seu modo de andar. De longe apontei todo orgulhoso o velho ao meu colega, olha lá, o homem branco feito uma parede recém-caiada e alto como uma placa de ponto de ônibus, é o meu pai, aquele, falei, vem vindo, olha, e nem bem a palavra pai saiu de minha boca e ele tinha mudado de calçada. Ah. Não acenou, não emitiu nenhum sinal de reconhecimento, nada disso. Ih. Apenas mudou de lado da rua e seguiu seu caminho, quieto, acompanhando ao longe algo que estava fora do alcance de minhas vistas, pois eu ainda era pequeno demais e não podia enxergar muito além do meio-fio. Oh. Meu colega riu um pouco, mas depois, talvez com pena de mim, disse que eu devia ter me enganado de pai. Aquele lá deve ser o velho de outro cara, ele falou, o homem não se parece nem um pouco com você, afinal, aquele cara lá é branco e você é sarará.

O suicídio do dr. Glass sempre me pareceu incompreensível. Afinal, como um *médico pode se matar*? Quer dizer, com uma corda, o dr. Glass se enforcou, não me refiro ao método empregado, e sim ao motivo de ele ter feito isto, algo que nunca consegui entender: qual o motivo de aquele velhinho afável se matar no aniversário de seus cem anos, o clínico geral que me atendeu desde criança em seu consultório congelado no tempo (os mesmos móveis havia pelo menos cinquenta anos, e aquela ponta do rasgado do couro da poltrona espetando a parte de baixo da coxa da gente), o que o levou ao suicídio? Para mim é inconcebível que um médico, supostamente responsável por evitar que pessoas morram, e ainda mais um homem centenário que sobreviveu a duas guerras mundiais, à febre espanhola, à tuberculose, à hiperinflação, à mulher e ao primogênito mortos num acidente de carro, que migrou de país (acho que ele viveu em Nova York uns anos, quando jovem), de continente, de hemisfério, como alguém assim poderia ir à própria clínica num domingo pela manhã, amarrar tranquilamente uma corda na estrutura de ferro da maca onde tinha atendido, sei lá, milhares de pacientes ao longo de mais de meio século, inclusive a mim, e nela se dependurar pelo pescoço? Que um médico de família se matasse me parecia o final de todas as esperanças; ao meu velho, entretanto, não devia significar nada, já que em todas as tardes nos últimos tempos o dr. Glass era obrigado a se apresentar a ele, numa renovação perene de amizade, olá, sou o dr. Glass, você talvez não se lembre de mim, mas somos amigos há mais de oitenta anos, é sempre bom conhecer você de novo, toque aqui, muito prazer. Ao fim da conversa, o velho — movido talvez por um senso de dignidade que a degeneração física ainda não tinha conseguido apagar de todo — fingia recordações que nunca existiram, entremeadas a longas pausas silenciosas nas quais seus olhinhos reviravam o ambiente em busca de respostas. A partir daí eu não conseguia acompanhar muito. O dr. Glass, porém, piscava para mim de tempo em tempo, sugerindo que tudo iria acabar bem, procurando me tranquilizar. Aquele seu sorriso reconfortante me fazia lembrar das visitas ao seu consultório na Ribeiro de Lima, nas quais ele me examinava, pedindo para que eu soprasse com força a pele do antebraço. Nunca entendi direito o motivo daquele exame, será que avaliava minha capacidade de encher bexigas de aniversário? Ou quem sabe de soprar uma zarabatana? De fato, ambas eram atividades essenciais para um pele-vermelha impúbere como eu.

Quem me levava ao consultório era minha mãe, como naquela tarde para fazer curativo depois da briga que tive com o colega que me chamou de sarará. Ela aguardava na sala de espera, enquanto o dr. Glass encostava o geladinho do estetoscópio no meu peito e me contava histórias e eu contemplava lá de baixo aquela napa magnífica e suas narinas cobertas pela vegetação albina da taiga pendente das margens dos trilhos que conduziam a maria-fumaça pelo túnel afora, piuííí, fugindo à perseguição de uma horda de comanches com suas armas em riste que sumiam a galope dentro de minha imaginação, upa upa, aiô Silver. Foi o doutor quem me falou dos peles-vermelhas norte-americanos pela primeira vez. Ele adorava me presentear com gibis do *Bonanza*. Também lembrava de aventuras vividas com o velho, quando ele e meu pai ainda eram garotos. Desde cedo ele já era ranzinza, dizia o dr. Glass, na verdade ninguém sabe direito de onde o teu velho veio. Sei que estava no navio quando eu e minha família saímos lá de Bremen em 1920. É, acho que estava, sim. Um dia eu estava no convés com os outros meninos e o teu pai apareceu do nada, continuou o doutor. Andava só, sem nenhum adulto a acompanhá-lo. Parecia um pequeno animal selvagem, um felino das montanhas que tinha errado de caminho e caiu no mar. Vivia aos pulos, de corrimão em corrimão. Fiz amizade com ele, falou o doutor, embora não pudesse então dizer que fosse mútua: quando era menino, teu pai já se comunicava apenas com monossílabos. Meus pais se apiedaram, e o alimentaram e abrigaram. A viagem foi longa. Minha mãe dizia que os parentes dele tinham sido mortos num pogrom num vilarejo no sopé das montanhas Altai, na Rússia. Um mês depois da partida, quando chegamos ao porto de Santos e então à estação da Luz, teu pai desapareceu por uns tempos. Soubemos dele de novo após dois meses, estava trabalhando com mascates da praça do Patriarca e morava no porão de uma família lituana. Nessa época o Bom Retiro conheceu seu auge. De manhã cedo íamos à escola. No café da manhã, a gente comia banana, que era uma fruta desconhecida de todos nós, recém-chegados. Também tinha um formato engraçado e aquela casca tão divertida de descascar. Não esqueço da primeira vez que vi uma banana: me pareceu a coisa mais perfeita da natureza, só equiparável ao ovo. Jogávamos bola na várzea depois de ir à Sholem Aleichem, onde estudávamos. Eram uns campinhos na beira aterrada do rio, e no meio do caminho, na rua Guarani, víamos os sapateiros italianos e seus bigodes frondosos. Foi um deles que nos ensinou a fazer uma arma de chumbinho com cabo de guarda-chuva. Caçávamos passarinhos e índios lá para os lados do rio. Naquele tempo dava para nadar nele, é verdade. As ruas do Bom Retiro cheiravam a *chametz* no forno, a pão sendo assado. Quando atravessávamos a linha do trem para ir ver os soldados acampados na estação Júlio Prestes do outro lado, acho que em 1924, ao voltar a gente sabia que tinha chegado ao bairro só de sentir o cheiro da comida misturado à fumaça do trem. Uma vez nós vimos um desconhecido sofrer um ataque epiléptico em frente ao Shvitz, o banho turco da Tenente Pena. Carregaram o homem todo babado para dentro e fomos embora, perseguir bondes com arco e flecha, caçar bisontes na várzea do rio. De repente, nós crescemos. Na *pletzel*, a pracinha, casamentos começaram a ser arranjados. O meu foi assim, mas não o do teu velho, que se casou com uma gói que ele viu cantar uma noite num cabaré da Tocantins. A primeira vez que ouvi frase com mais de duas palavras da boca dele foi uma tentativa de descrever aquela voz. E agora está aí fora te esperando, né, meu filho, ela não é mesmo linda?

Quando voltei da faculdade de medicina, já estavam casados. Então veio a Segunda Guerra. Na *pletzel* não se falava de outro assunto, quem escapou, quem morreu. A nuvem negra enorme que pairou sobre o bairro durante anos. Não havia chuva que a levasse embora. As pessoas andavam de cabeça baixa nas ruas, seus ombros encharcados carregavam um peso considerável. Um dia, tua mãe apareceu grávida. Eu a examinei, ela não parecia muito bem. Então, quando o parto ficou próximo, o casal desapareceu. Foi no finalzinho da guerra. Sumiram do apartamento de cima da mercearia, onde já moravam. Fecharam a loja aberta fazia pouco sem ao menos deixar recado na porta. Ninguém sabia deles, e também tinha muita gente que ficou feliz com o sumiço, pois nem todos gostaram que o teu velho tivesse se casado com uma mulher de cor. Fui até lá diversas vezes e nada. Ninguém atendia à campainha. A Europa se tornou uma imensa ruína, e a poeira que vinha de lá deixava a nuvem sobre o bairro ainda mais negra. Então, dizer "Hitler" e dizer "morte" era a mesma coisa. Todos estavam infelizes. Certa noite, pensei ter visto janelas acesas no apartamento dele. Bati na porta e ninguém atendeu. Passado um ano, os dois estavam de volta como se nada tivesse acontecido. Pelo que se podia supor, ela tinha perdido o bebê. Na época não chegamos a tocar no assunto, mas depois ele me esclareceu tudo. Então a guerra acabou, porém o mundo nunca mais voltou a ser o mesmo. Foi igual ao que aconteceu na época dos índios, quando os bisontes se foram, restou apenas o som do vento no capim seco. Mais nada, mais nada, disse o doutor, e ficou quieto um tempão. Depois, ainda em silêncio, ele me despachou com um tapa no fundilho das calças. Quando eu já estava na calçada em frente ao consultório à espera de que minha mãe terminasse de enrolar sua echarpe no pescoço, o dr. Glass saiu todo afobado e me presenteou com o livro que contava a história da nação comanche e as aventuras de Quanah Parker. Fiquei tão feliz. Era 1965. Eu devia ter dez ou onze anos.

No dia seguinte, o velho recebeu alta do pronto-socorro e nós voltamos de táxi para casa. Da janela do carro, ao passarmos pela região da Luz, enquanto ele investigava alguma cena microscópica que ocorria na nuca do motorista, eu via os vultos dos viciados em crack se arrastando pelas ruas com seus cobertores, através dos quais vazava a chama de isqueiros sendo acesos e apagados, acesos e apagados. Pareciam corações pulsantes na noite escura ou estrelas num céu preto de tempestade. Calçadas inteiras eram cobertas pelo emaranhado de membros, braços e pernas e pescoços de um só corpo sem início nem fim. A brigada policial observava aquele imenso tapete humano à distância, de cassetetes na mão, tangendo-o em blocos para o lado de lá da praça, mas qual lado? Reconheci alguns colegas do 77º DP. O que podia haver do outro lado, uma saída ou um abismo no qual todos pudessem pular? A estação ferroviária estava desativada, não tinha nenhum vagão em vias de chegar para despachá-los. O campo de concentração estava ali mesmo, à vista de todos, no centro da cidade. De repente, uma bomba de gás lacrimogêneo explodiu e os noias debandaram em nossa direção, impedindo a passagem do táxi. Pude examiná-los muito de perto, como se estivesse no zoológico e observasse as jaulas dos animais. Suas caras eram umas máscaras distorcidas de medo e fúria, roupas imundas, a pele enegrecida de óleo e fuligem. Um deles se aproximou, encostando os olhos e exibindo as gengivas na janela ao lado do velho, que o encarou com toda a sua apatia. De imediato aqueles dois pares de olhos reconheceram um ao outro através do vidro, e por um instante pensei que afinal não eram os viciados que estavam entre as grades do zoológico, e sim nós detrás de vidros e portas fechadas. O noia então se afastou do carro, agachou-se e cagou no meio-fio. Ao chegarmos em casa havia um recado na secretária eletrônica, deixado pela mesma voz masculina das ligações anteriores. Dizia ser de uma empresa administradora de recursos humanos. Necessitava falar com o velho sobre a interrupção dos pagamentos. Não deixava telefone para contato, mas voltaria a ligar. Após ouvi-la, olhei para o velho com uma vã esperança de que o recado despertasse nele apenas a lucidez necessária para explicar o que significavam aquelas cobranças tão insistentes. Levei-o então ao banheiro, sentei-o numa cadeira e fiz sua higiene devagarinho, com sabão e água morna. Conforme passava a bucha em seu pulso, os vergões ficavam mais vivos, arroxeados. O tombo recente na cozinha havia lhe deixado diversos hematomas nas costelas e nos braços. Comparei minha pele-vermelha com a dele e perguntei pela milionésima vez como podia ser meu pai. Ele me olhou com indiferença e só então percebi que tinha falado em voz alta. Amparei sua caminhada até a cama do quarto e lhe servi um copo d'água acompanhado do comprimido. Depois que deitou, como em todas as outras noites, o velho pediu que eu contasse histórias de animais. Conte umas fábulas, ele falou, conte aquelas histórias de animais. E isso era tudo o que dizia ao longo do dia.

2. Mundo animal:
A *voz humana*

1.

Naquela noite, elas completariam dois anos e meio sem sair de casa. A sra. X arranjou o lanche na bolsa, desceram as escadas e entraram no táxi. Pela janela, apontou a lua enorme detrás das árvores. A criatura nunca tinha visto a própria pele sob luz natural tão direta. Esbranquiçadas e secas, as feridas na parcela de pele do punho à mostra pareciam curadas, apesar de recentes. Avançaram em silêncio por avenidas e parques desocupados, enquanto nuvens encobriam a lua. Fazia frio, mas não muito. Um pouco antes, ao entrarem no automóvel estacionado na garagem, a sra. X ordenou ao taxista que seguisse para o Nocturama, nova área do zoológico da cidade dedicada a animais notívagos. Sem responder ou demonstrar má vontade pela chamada tarde da noite, o homem deu partida. Depois, quando já estavam a caminho, pensou que a vida era uma espécie de partitura executada por um pianista maneta diante de uma plateia de surdos. Aquelas duas fariam parte de sua sinfonia daquela noite, ele afirmou em seu testemunho, elas eram suas notas musicais perdidas que afinal tinham voltado para casa. Na ocasião, a sra. X agradecia a Deus a oportunidade de passear com a criatura pela última vez. Fazia tanto, tanto tempo. Não sabia mais de que era feito o céu, as nuvens, o chão lá de fora. O motor do carro não emitia nenhum ruído, aumentando a sensação de estarem imóveis, congelados pelo ar noturno. A criatura afastou um pouco o capuz vermelho de cima da testa para observar melhor os reflexos na escuridão do asfalto. Era tão liso que dava para ver o brilho das estrelas. Apenas um instante — o tempo necessário para o taxista a ver no retrovisor —, e seus olhos estavam fixos nele. Um pedaço visível da pele do rosto dela foi suficiente para lhe dar calafrios, e o taxista desviou o olhar. Luvas de couro negro, pelos eriçados, descreveu. Olhos cor de sangue. A *Méditation*, de Satie, começou a tocar no aparelho de CD. Os acordes espaçados do piano modulavam o movimento nas pistas quase sem tráfego, iluminadas pela lua entre torres negras de prédios apagados. Enquanto a criatura recobria a cabeça e se afundava na área ensombrecida do banco traseiro, a sra. X percebeu o susto do homem. Depois, bem diante de mim, ela lembrou que naquele exato segundo pediu ao Senhor que o passeio noturno ao zoológico não lhe trouxesse mais problemas.

Não fazia um mês o zoológico de São Paulo começara a agendar visitas ao novo parque durante a noite. A sra. X exultou ao ver a notícia na televisão. Tratava-se de rara oportunidade de passear com a criatura, conforme afirmou, uma dádiva do Senhor, vinha em hora esplêndida, ela não aguentava mais. Sem hesitar, ligou para o telefone divulgado pelo telejornal e conseguiu encaixar as duas logo na primeira excursão. Era muita sorte, um verdadeiro sinal de que Deus olhava por elas, a Divina Providência em ação. O zoológico havia criado o Nocturama para visitantes travarem contato com animais de hábitos noturnos e também com outros bichos que em situação normal viveriam de dia, como o leopardo-das-neves que perdeu a companheira e caiu em depressão. Pelo telejornal, a sra. X descobriu que havia animais que sofriam de transtornos de comportamento, não muito diferentes daqueles sofridos pelas pessoas, e que por isso passavam a viver de noite. O isolamento prolongado, entre outros fatores, causava mudanças bizarras, assim como a aversão a visitantes por conta de crueldades cometidas todo santo dia. Antes de se deprimir, por exemplo, o leopardo-das-neves manifestou peculiar agressividade contra crianças de tamanho semelhante ao da criatura. O passeio noturno consistia em três horas de caminhada no meio da floresta entre as jaulas. Tudo no Nocturama foi elaborado para lembrar uma expedição à natureza selvagem, embora essa nova área do parque se localizasse não muito longe do perímetro urbano. Era proibido o uso de lanternas, de celulares ou de qualquer outro dispositivo que emitisse luz artificial. Fotografias estavam permitidas somente sem flashes. Apenas um aspecto do passeio noturno causava aflição à sra. X: em ocasiões anteriores, como na tentativa malsucedida de irem ao drive-in, algumas pessoas não reagiram bem à presença da criatura, acreditando que ela estivesse ali para promover a estreia de algum filme de terror. Outra situação igualmente perigosa ocorrera certa vez em uma praça de Higienópolis. No episódio do drive-in ela era menor, portanto talvez não se lembrasse de quase nada. Na visita à praça, porém, ocorrida havia dois anos, já era um pouco maior, ou ao menos assim parecia, e assustara-se com o pânico da multidão de velhas senhoras que alimentavam felinos. Referências à idade da criatura não passam, é claro, de conjecturas da sra. X. Por tais motivos fazia tanto tempo as duas não saíam à rua. Deus estava ao lado delas, mas não custava evitar provações. A sra. X acredita que o Senhor não recusa auxílio, mas também aprecia recebê-lo. Ela murmurou outra oração só por acreditar nisso com tamanho fervor.

Havia muito a sra. X deixara de refletir sobre as consequências de estar condicionada a viver apenas à noite. Depois de aceitar a criatura sob sua responsabilidade, seus hábitos diurnos, assim como ocorreu aos animais do Nocturama, foram se alterando aos poucos, conforme depôs, e ela enfim se adaptou à nova condição. No início a sra. X sentia falta de lugares luminosos como as margens do lago próximo à casa familiar de sua infância, ou da praia que adorava visitar a cada inverno. Chegou a ter sonhos frequentes com isso. Mas a tudo nos habituamos nesta vida, ela testemunhou, e ao dizer isso afirmou que seria capaz de suportar dificuldades ainda maiores: para tal, bastava apenas preservar sua fé. As orações constantes, além de terem o efeito de fortalecer sua crença no Senhor, levaram-na a melhorar a concentração. Desde criança a sra. X teve problemas para ler, por exemplo, ou mesmo para assistir a um filme inteiro na televisão. De algum modo, viver somente à noite apaziguou seu espírito. A mera restrição diminuiu sua ânsia de sair durante o dia ou mesmo o desejo de ver outras pessoas. Para que isso acontecesse, tornou-se essencial acompanhar o metabolismo da criatura: ao observá-la, a sra. X descobriu que o Senhor não exigia pressa nem admitia o desespero. Pobre criatura de Deus, pobrezinha dela. Contida pelas limitações do dia a dia, sua paciente apreciava ler. Passava tardes inteiras mergulhada nos livros. Mantinha hábitos de leitura bastante maduros para alguém que não ultrapassava um metro e meio de altura (de acordo com a aferição da perícia, um metro e vinte e cinco centímetros de altura, com trinta e dois quilos de peso). Parecia estranho à sra. X se aproximar de outro livro que não fosse a Bíblia Sagrada. Mas até isso mudou com a adaptação ao novo fuso horário. Nas tardes de folga, enquanto a criatura descansava ou se escondia debaixo do sofá em seu ninho cheio de pelos, ela começou a explorar a biblioteca do casarão. Encontrava-se todo tipo de livro nas estantes, alguns em línguas desconhecidas pela sra. X, que ao longo dos meses procurou limpá-los. Em meio a diversas obras desinteressantes, algumas até mesmo profanas, ela descobriu a enciclopédia dedicada ao mundo animal.

A enciclopédia era composta de nove volumes. Tratava-se de uma edição inglesa de 1910 caindo aos pedaços. De acordo com seu depoimento, a sra. X domina o inglês com fluência. Sua especialização no tratamento de pacientes terminais ocorreu em um hospital de Manchester, na Inglaterra. Conhecer a língua era requisito indispensável para sua função, pois a criatura não compreende português. Nas raras ocasiões em que se comunicava, ela o fazia por meio de bilhetes escritos com grande dificuldade, apoiando o lápis num buraco da luva de couro feito especialmente para isso. A criatura nunca fala, pois está impossibilitada. Através da leitura daqueles livros empoeirados, a sra. X conseguiu quebrar a desconfiança de sua protegida. Ambas sentavam-se sob o único abajur da biblioteca e conversavam ao modo silencioso da criatura acerca de animais que iam descobrindo aos poucos, conforme a leitura evoluía de um tomo a outro. Pela quantidade de livros que a criatura lia à noite, a sra. X não estranhou o fato de ela conhecer com antecedência quase todos os animais. Apesar disso, não havia lido a enciclopédia inteira, e logo a sra. X arranjou um modo de saber quais ela desconhecia. A criatura mantinha especial predileção pelos animais incomuns, aparentemente esquecidos pelas leis divinas. O ornitorrinco, por exemplo, era um de seus prediletos. Aquela mistura de pato com mamífero não parecia obra natural de Deus para a sra. X, porém ela não deixou transparecer sua descrença num monstro tão improvável. Não diante de sua paciente, mas de jeito nenhum. Naquele momento, a prioridade era se aproximar da criatura, cuja desconfiança ruiu de vez ao descobrir que o ornitorrinco — assim como ela própria — tinha hábitos noturnos. O método desenvolvido pela sra. X para investigar quais páginas da enciclopédia não haviam sido tocadas demonstrou ser tão incomum quanto acertado. Ao guardar dois volumes abandonados pela criatura sob a mesa da sala na noite anterior à descoberta, ela observou pedaços de pele com manchas de sangue ressequido e pelos grossos esparramados entre as páginas já lidas.

2.

Quando não lia à noite, a criatura era atraída pela ampla janela da sala. Podia permanecer rígida em frente ao vidro durante horas seguidas, parecendo observar a órbita moribunda dos insetos à volta das lâmpadas amareladas do jardim. Caso não conseguisse se distrair com isso, acabrunhava-se em seu próprio quarto no piso superior do antigo sobrado do Bom Retiro. Nessas ocasiões, a sra. X se sentia sozinha no casarão. Em uma determinada noite, a sra. X entreabriu a porta de seu quarto para observá-la, mas ela apenas brincava com seus jogos tão antigos quanto os livros da biblioteca, enquanto murmurava melodias que lembravam canções numa língua gutural que não devia mais ser falada por ninguém em qualquer parte do mundo. Para não incomodá-la, a sra. X passeava pelos corredores, observando os retratos de judeus emoldurados que ocupavam boa parte das paredes dos principais cômodos. Fixadas em suas indumentárias de judeus ortodoxos, as imagens lhe causavam mal-estar, pois ela relacionava aqueles narizes aduncos e chapéus de abas largas às imagens da Santa Inquisição que conhecia. Tudo era sombrio naquelas pessoas mortas fazia muito e vestidas de um negro mais espesso que o próprio tempo. Em diversos cômodos do casarão era possível encontrar mobiliário religioso que ampliava essa sensação. A sra. X foi contratada pelos familiares ou talvez tutores da criatura, que a buscaram por meio dos serviços de uma empresa especializada em recursos humanos de alto nível, conforme declarou em seu depoimento. Com conhecimentos administrativos e mestrado em enfermagem, a sra. X passara toda a vida auxiliando pessoas com enfermidades graves como a da criatura, ou então tratando, pois era esta a sua especialidade, de pacientes terminais. Contudo, nunca tinha trabalhado com uma paciente tão pequena. Na maior parte das vezes, a sra. X acompanhava até a morte anciões solitários e ricos cujas famílias preferiam contratá-la a tratar deles, tudo para não partilhar de seu convívio. Mas aquela era sua primeira experiência com um ser de aparência tão desconcertante, devido aos efeitos da doença. Os familiares da criatura, talvez seus avós, ou quem sabe seus tios, ou então parentes distantes, ou talvez seus proprietários (a sra. X não tem muita certeza), afirmaram à empresa que havia se responsabilizado por sua contratação que precisariam viajar para cuidar de negócios inadiáveis na China ou na Rússia. Ao menos foi isso o que a administradora informou. Sim, na Rússia, eles eram russos, disso ela estava certa (havia uma bandeira vermelha estampada com a águia de duas cabeças na parede da biblioteca). Como a enfermidade da criatura impedia que ela os acompanhasse, necessitariam dos serviços de uma governanta com conhecimentos de enfermagem. A profissional devia ser de total confiança. Era impossível prever o término da viagem de negócios, pois aqueles que a contratavam dependiam de terceiros para que tal data fosse estabelecida. Evidentemente, isso não deveria preocupar a governanta, já que a administradora de recursos humanos cuidaria dos aportes necessários ao bom sustento do sobrado do Bom Retiro. Mas existia uma séria restrição: devido à doença, a criatura estava impedida de sair da casa em qualquer hipótese. Também não devia ser abandonada sozinha, e isso impossibilitava a saída da sra. X, que nunca obteve quaisquer informações concretas acerca da real existência dos familiares da criatura.

Enquanto seu sono hesitava entre a noite e a chegada da manhã, a sra. X pensava no lar em que nasceu e no qual passou a infância com os pais. Depois de se especializar em medicina geriátrica e no tratamento de idosos com doenças incomuns, ela voltou pela última vez àquela casa à beira de um lago artificial em Serra Negra que estava meio borrada de sua memória, como se a conhecesse de um sonho. Seus pais estavam velhos, no entanto ainda preservavam a vida ativa. Ex-agricultor, o pai manteve os hábitos solares de sua juventude como plantador de tomates, cuidando com afinco do jardim da casa. A mãe da sra. X, ao contrário da filha, era muito falante, até demais, o que cansava um pouco a sra. X — que, devido ao seu retraimento e à escassa experiência sexual, nunca passou de *srta*. X (ela confessou isso à psicóloga que acompanha o caso); de hábitos reservados desde a infância, a sra. X se tornou ainda mais calada após sua temporada inglesa. O cotidiano hospitalar deixou o silêncio que lhe era peculiar ainda mais agudo, extenso, profundo, um silêncio que lhe dava voltas e a enredava, ocupando todos os espaços de sua vida, encasulando-a, ao tempo que lhe intensificava a fé. Certo dia, porém, cerca de um mês depois de seu retorno, o pai da sra. X recebeu o diagnóstico da doença que o vinha afligindo nos últimos meses: câncer. Os agrotóxicos com os quais havia lidado ao longo de tantos anos terminaram por cobrar um preço demasiado alto. Agora ele tinha um tumor do tamanho de um tomate no estômago, disse o pai, o que não deixava de ser irônico. Logo após receber a má notícia, a mãe afinal se calou, e a partir daí a decrepitude física de seu marido evoluiu rapidamente, coisa de semanas, pois ao ser descoberta a doença já ia em estágio avançado. Ao ver aquilo, a sra. X agradeceu ao Senhor por tê-la enviado de volta à casa paterna a tempo de lhe amenizar o sofrimento. Então, no período entre a madrugada e a manhã, seu pai morreu. A mãe, que não sofria de enfermidade alguma a não ser de tristeza, seguiu-o dez dias depois. A sra. X, tendo reunido conhecimentos suficientes acerca da vida, despediu-se do lago, vendeu a casa e nunca mais retornou àquele lugar.

Na noite do passeio, a criatura observou que a lua havia adquirido proporção incomum entre as nuvens. A cor amarela de suas extremidades borradas contra o céu tornavam-na ainda maior quando o táxi chegou ao Nocturama. A sra. X lhe explicou que aquilo se devia a um fenômeno ótico: a proximidade visual do astro em relação aos prédios do interior do parque causava a ilusão de a lua ter aumentado de tamanho. A criatura recebeu a explicação da governanta com um esgar que sugeriria, caso sua fisionomia assim o permitisse, uma expressão incrédula. A sra. X deduziu que nunca tinha ocorrido à criatura que as variações da lua pudessem ser explicadas por outra mecânica que não a da fantasia. Com seus passos limitados pela enfermidade, ela acompanhava as transformações lunares a partir das janelas do casarão fazia muito tempo, sabe-se lá desde quando (a sra. X não havia sido informada da vida pregressa da paciente). Através dos movimentos celestes, calculava o avançar dos dias e das noites e o escoar do tempo ao longo das semanas e do esgarçar da costura de seu capuz vermelho. Para a criatura, a lua talvez fosse um animal cheio de sangue que inchava e murchava conforme se aproximava ou se afastava da Terra, uma espécie de sanguessuga. Enquanto a governanta procurava adivinhar o que ia pela cabeça da pobre criatura, o automóvel ultrapassou o portão que demarcava a entrada do zoológico. O taxista permanecia calado e o rádio ainda tocava composições de Satie. Agora eram as *Pièces Froides*. A escuridão da mata aumentou enquanto avançavam pela avenida em frente ao parque cercado apenas por telas de alambrado. Os galhos das árvores encobriam as cercas, tornando-as quase invisíveis. A criatura escondeu ainda mais o rosto no capuz. Ela então abaixou um pouco o vidro da janela e um odor fresco e denso de vegetação misturado ao de folhas e frutas em decomposição ocupou o interior do automóvel. O taxista deu meia-volta num contorno existente no final da avenida e estacionou diante da entrada do Nocturama. Sob a marquise, em frente à bilheteria, um grupo de pessoas aguardava. Como a lua havia desaparecido entre as árvores, não era possível ver os rostos no escuro. A sra. X pagou o homem e desceu. Do outro lado, com a mochila nas costas, a criatura fez o mesmo. Ao pisarem na calçada, ela demonstrou tristeza, pois sentiu o desespero daquele lugar através do fedor dos animais aprisionados que chegava até ela. A sra. X controlou seus tremores. Momentos depois, ao voltar para casa e limpar o estofado do banco onde a criatura se sentara, o taxista achou o que parecia ser uma casca de ferida e manchas de sangue coagulado.

3.

Em relação às finanças, o esquema administrativo gerenciado pelos responsáveis pela criatura falhou apenas no final. Uma quantia era depositada todos os meses na conta bancária destinada às provisões. Com isso, a sra. X podia realizar compras regulares de mantimentos para o casarão, afirmou em seu depoimento. Também se efetuava outro depósito referente ao salário, que era o maior recebido por ela em toda a vida e serviu para acertar as contas quando a administradora furou. Como permanecia impossibilitada de sair sem infringir as regras da contratação, a governanta acumulou uma pequena fortuna naqueles dois anos e meio de trabalho. Não tinha com que gastar. As compras domiciliares eram realizadas em um mercado coreano do bairro. A sra. X fazia o pedido por telefone e depois uma perua realizava a entrega. Os engradados com produtos eram descarregados na entrada lateral do casarão sob supervisão da governanta, que se sentia atraída a conversar com o jovem entregador, um rapaz coreano de menos de dezoito anos. Mas o entregador não falava português ou inglês, ao menos não de modo a se estabelecer um diálogo que fosse muito além de palavras de agradecimento pelo serviço realizado. De vez em quando a incomunicabilidade em que se enfiou fazia com que a solidão da sra. X se tornasse insuportável. Sem mais parentes, ela não tinha a quem recorrer pelo telefone, e as pessoas com quem conviveu nas duas últimas décadas tinham sido suas pacientes e agora estavam mortas. As horas dedicadas à leitura na biblioteca eram com frequência pontuadas por devaneios relacionados ao futuro e à sua aposentadoria. Sem querer, a sra. X começou a fantasiar com o que faria com o dinheiro acumulado. Toda vez que isso acontecia, porém, ela interrompia o fluxo dos pensamentos e se sentia culpada. Ansiar pelo futuro a incomodava, pois equivalia a querer a morte da criatura. Em conformidade aos trabalhos que teve, a sra. X se habituou a relacionar todo final de ciclo empregatício à morte de seu empregador. Às vezes, quando pensava nisso, a sra. X se recolhia ao seu cômodo e orava ao Senhor com total devoção. Só assim suas mãos paravam de tremer.

* * *

No período de sua especialização em Manchester, a sra. X se deparou com certos problemas. Nunca pensou em se tornar enfermeira, e muito menos em se dedicar à geriatria. Seu sonho era ser cabeleireira. Durante a adolescência ela fez diversos cursos em escolas de beleza, e adorava praticar, criando penteados exclusivos para colegas de escola. Mas, quando completou vinte anos de idade, a sra. X descobriu que suas mãos tremiam. Em uma aula de maquiagem, ao aplicar blush na face de uma amiga, ela teve um incontrolável acesso de tremedeira, obrigando-a a sair da sala aos prantos e se refugiar no banheiro. Os acessos se repetiram diversas vezes até que, muito envergonhada, procurou auxílio psiquiátrico. Ficou abaladíssima com aqueles tremores nas mãos, pois acabariam por destruir sua esperança. Contudo, o psiquiatra com quem se tratava não percebia o problema, assegurando não existir tremor algum, além de afirmar que aquilo não passava de um típico caso de ansiedade. Receitou-lhe ansiolíticos. A sra. X preferiu desistir do psiquiatra e do desejo de ter aquela profissão, mas começou a usá-los, de início com receitas, depois roubando-os nos hospitais nos quais trabalhou. Foi graças à insistência da mãe e ao apoio do pai que concluiu o curso de enfermagem. Depois de se graduar, uma bolsa do centro nacional de pesquisas lhe permitiu fazer a especialização no estrangeiro. No hospital de Manchester, a sra. X levou uma vida monástica. Trabalhava a noite inteira, e logo conquistou o cargo de zeladora noturna. Era muito querida de todas as pacientes, a maior parte octogenárias pelas quais a sra. X sentia grande compaixão. Com o passar do tempo, o hospital acabou se tornando seu verdadeiro lar. Ela odiava o cubículo de menos de vinte metros quadrados em que vivia no subúrbio de Manchester, cidade cinzenta e fria, tão fria quanto o temperamento de seus cidadãos.

Ao contrário do que ocorria no exterior, nas ruelas de pedras úmidas da cidade e nos pubs repletos, entre as paredes do hospital a sra. X recebia o calor amistoso das pacientes, que a premiavam com sua predileção irrestrita. Isso terminou por despertar o ciúme de colegas de plantão. A sra. X sempre relacionou as acusações de que seria vítima ao ser demitida a esse sentimento desprezível das outras enfermeiras em relação a ela. Nas noites em que se encontrava sozinha em seu quarto do hospital, entretanto, a sra. X observava os tremores incontroláveis de suas mãos, e os culpava por ser tão odiada pelas colegas. Depois, a sra. X tomava seu remédio, acalmava-se um pouco e saía em ronda noturna para visitar pacientes, passando antes no almoxarifado para pegar os produtos de limpeza que acabariam se tornando sua marca pessoal.

Em certo final de tarde, enquanto devolvia à estante os volumes da enciclopédia do mundo animal lidos na noite anterior, a sra. X não localizou o volume de número seis, dedicado aos verbetes iniciados com letras *l-m*. Depois de vasculhar por debaixo das poltronas e do sofá, no ninho feito de pelos, além de procurar nas outras prateleiras, a sra. X buscou nos diversos cômodos do casarão, sem nada encontrar. Como a criatura ainda não havia despertado para a primeira refeição da noite, a governanta não se lembrou de procurar no quarto dela. Cabe aqui um parêntese a respeito do cotidiano alimentar das duas. Pelo fato de os horários serem invertidos, a refeição equivalente ao café da manhã era servida assim que a luz do sol desaparecia nas janelas. E assim sucessivamente, com o almoço sendo servido à meia-noite em ponto e o jantar cerca de uma hora antes de o dia raiar. Não existiam outros serviçais no casarão a não ser a sra. X, conforme seu testemunho, e ela preparava toda a comida. De início foi difícil acertar o gosto da criatura, pois ela nada argumentava ao recusar um determinado prato. Ela apenas se sentava na extremidade oposta da mesa e afundava em seu mutismo indevassável. Com o passar dos dias, a sra. X percebeu que a criatura adivinhava aquilo que seria servido antes mesmo de a sopeira ser trazida da cozinha. Isso se devia ao aguçamento de seu olfato, um efeito colateral de sua condição. Passados quarenta dias da chegada da governanta ao casarão, um envelope remetido pela administradora foi deixado na caixa de correio. Era a lista de recomendações para a dieta regular da criatura. Nela também constava grande quantidade de alimentos não indicados para consumo que a sra. X preparara em refeições anteriores. Todos coincidiam com recusas da criatura, que nutria uma predileção por carne malpassada. Aquela teria sido a pior falha da empresa administradora em dois anos e meio, excetuando-se a falta de pagamentos do período final e, talvez, a própria contratação da sra. X.

4.

Ao deixar as passageiras no jardim zoológico, o taxista deu meia-volta e retomou a pista pela qual viera. Logo esqueceu a estranheza da encapuzada e voltou a pensar em seus cães. Como morava perto do zoológico, ainda no trajeto planejou treinar os animais naquela noite. Com esse testemunho pensava em escapar de ser acusado de premeditação, acreditamos. Ainda segundo ele, passava das nove e o início de noite havia sido rentável. Talvez pudesse deixar o trabalho de lado ao menos por algumas horas. Passar em casa, fazer uma horinha, ler encartes dos CDs de música erudita e colocar os cães no automóvel, era isso o que pretendia, conforme seu depoimento. Inventava o seu álibi. Naquela noite ocorreria o primeiro passeio noturno ao novo parque do zoológico, a oportunidade que ele esperava. No semáforo seguinte, o taxista girou o volante à direita e deu adeus ao resto do expediente. Seguiu pela avenida Miguel Estéfano circundando o Nocturama e tomou a avenida do Cursino à esquerda. De lá, rumou à Zona Leste, onde vivia numa edícula nos fundos de uma fábrica abandonada. O piano continuou tocando no CD até ele enveredar pelo beco de paralelepípedos recobertos de musgo que dava na edícula. Os cães começaram a latir assim que reconheceram o ruído do motor e o taxista soltou a corrente enferrujada do portão. Seu automóvel se encontra no pátio para averiguações. Era bom viver ali, pois os cães podiam latir à vontade sem despertar a atenção de ninguém, afirmou. O casebre onde vivia, porém, era insalubre. Não que se importasse. O que valia a pena no lugar era a distância de qualquer pessoa da vizinhança e o bom espaço dos fundos, onde pôde construir as jaulas dos rottweilers. Esses três cães eram a única preocupação de sua vida e o que lhe importava realmente era se estavam bem. Mas o taxista precisava sobreviver. Não podia permanecer o tempo todo com seus cães, que sentiam sua falta. Naquela noite, por exemplo, isso era evidente. Os latidos soavam, e em sua origem existia um lamento profundo e insondável. Os rottweilers sempre se comportavam desse modo em noites de lua cheia. Não havia quantia de ração que os apaziguasse. Nem mesmo a felicidade momentânea que o taxista lhes concedia ao libertá-los para que corressem de modo insano pelo interior da fábrica abandonada era suficiente para se acalmarem. Ao examinar o piso em torno das jaulas, o taxista lamentou ainda mais, pois o cão mais novo perdera um dente ao morder as grades.

Em noites iguais àquela o taxista não via outra saída a não ser colocar os cães no interior do automóvel e sair com eles para passear. Deitados no banco traseiro, os animais se aquietavam assim que o portão de ferro era ultrapassado. A intensa agitação anterior, seus latidos e uivos na jaula, além da correria louca entre as ruínas da fábrica abandonada, eram de imediato deixados para trás. Apaziguados, pareciam enxergar algo no vazio noturno das ruas que só era perceptível para eles. Enquanto rumava pela pista vazia que levava de volta ao zoológico, o taxista os observava pelo retrovisor. Lembravam crianças, e se satisfaziam apenas com a promessa de uma volta. Era devido àqueles momentos de paz que ao menos em uma ocasião por mês o taxista trocava seu expediente noturno pelo passeio com os cães, conforme depôs. Na maior parte das ocasiões, eles não chegavam a sair do bairro, apenas perambulavam pelas praças dos arredores em busca de algum gato, ratazana ou calango que pudessem caçar. Outra diversão podia ser enveredar pelas estradas vicinais das rodovias que entram e saem de São Paulo e soltá-los num descampado. Eles corriam como se nunca mais fossem correr de novo. No automóvel, observando-os em sua quietude, o taxista lembrou-se de quando um gato caiu no quintal da fábrica abandonada. Pobre felino. Os cães o estraçalharam em poucos segundos. Restou apenas um saco esvaziado de couro sanguinolento, que o taxista dependurou no varal. Mesmo assim, os rottweilers não esgotaram sua ânsia e rodearam durante horas os restos do gato dependurados no alto, sem poder alcançá-los. Depois de devolver as feras à jaula, o taxista analisou o couro seco do bichano e pensou no que seus cães poderiam causar a um ser humano.

O taxista devia ter oito ou nove anos quando ganhou seu primeiro animal de estimação, uma velha cadela de um tio que mudou da cidade. Desde muito cedo, talvez desde quando aprendeu a falar, o taxista pedia ao pai que o deixasse ter um cachorro. O pai, homem bruto e beberrão, nunca permitiu. Como devia ao tio favores que não poderia honrar, ele nada pôde fazer em relação à cadelinha de pelo amarelo. O taxista, ainda garoto, cuidou do animal com total disciplina. Apesar de idosa, a cadela o seguia por todos os lados, no caminho de casa à escola, onde aguardava o término das aulas para acompanhá-lo de volta para casa. Em uma dessas manhãs de espera, a cadela emprenhou. O menino começou a achar que devia ser a pessoa mais sortuda do mundo, e seu entusiasmo por ter uma ninhada de cãezinhos inteirinha só para ele extrapolou todos os limites, bastante curtos, diga-se, da paciência paterna. Contudo, como eram visitados com certa regularidade pelo tio que vivia em outra cidade, o homem outra vez nada pôde fazer. Os meses se passaram e a cadela deu à luz cinco cachorrinhos, uns bichos tão lindos como o menino jamais tinha sonhado. E então, em consequência de um acidente de carro, o tio morreu. Com as dívidas quitadas pelo acaso, o pai do menino resolveu dar fim àquele tormento de ganidos sem fim que o impediam de dormir à noite. Numa manhã de domingo, o menino acordou com latidos. No quintal, o pai matava a cadela a pauladas. Depois de extrair seu último ganido, o homem encheu uma bacia d'água e afogou um a um os cinco cãezinhos diante do olhar gélido do menino.

5.

Na noite seguinte, a sra. X localizou o volume perdido da enciclopédia do mundo animal sob a cama do quarto da criatura. O livro estava aberto na página que continha o verbete dedicado ao leopardo-das-neves. Ao lado, estavam várias folhas de papel soltas que traziam desenhos muito elaborados representando o animal em diversos cenários retirados do texto e outros, inventados. O leopardo-das-neves à espreita de um cervo sobre um pico gelado do Altai. O ataque do leopardo-das-neves ao povoado. Uma nota musical que sumia no ar enquanto o leopardo-das-neves a acompanhava. O leopardo-das-neves no cativeiro. O leopardo-das-neves acabrunhado e solitário sob a lua cheia. O leopardo-das-neves com bandagens em sua pata dianteira direita. O leopardo-das-neves em pé, apoiado sobre as patas traseiras, olhando-se no espelho do banheiro. A sra. X se surpreendeu com o dom da criatura para o desenho. Parecia obra de um artista muito talentoso. Era inconcebível que desenhasse tão bem com aquelas mãos. Ela então recolheu tudo e começou a pensar nos tutores da criatura. Como podia existir gente tão impiedosa? Não deviam ser religiosas, pessoas com fé em Deus não abandonariam um enfermo daquela maneira. Caminhando pelos corredores do casarão que culminavam na biblioteca, a sra. X analisou os retratos dependurados nas paredes. Havia uma série de fotografias de um mesmo casal. O homem usava chapéu em todas as fotos, terno preto e uma longa barba. A mulher exibia um vestido sóbrio e de aparência bastante antiga. Parecia-se um pouco com a criatura. Mas essa semelhança podia ser coisa de sua imaginação e da cor da pele de ambas. Pelas datas nas margens, as fotos cobriam um intervalo de mais ou menos vinte anos. Os rostos da mulher e do homem não aparentavam ter envelhecido no período, a não ser pelo fato de a barba ter ganhado alguns fios acinzentados e maior volume nas fotos mais recentes do homem. Aqueles dois talvez fossem os pais da criatura. Eram, porém, velhos demais para serem os pais dela. Podia ser que fossem avós, quem sabe, porém isso pouco importava. A única certeza era de que se tratava de pessoas de coração do tamanho de uma uva--passa.

Ao alcançarem a entrada do parque, a sra. X e a criatura foram recebidas pela jovem veterinária que guiaria o grupo no passeio noturno inaugural. O grupo era composto de vinte pessoas, que ali no escuro mal podiam ser discernidas sob as folhagens. Do mesmo modo, ninguém notou as particularidades da criatura. Suas silhuetas se fundiam umas às outras, incluindo os vultos das duas recém-chegadas, e se perdiam contra a alta grade que separava o Nocturama do resto do zoológico. A moça explicou regras e cuidados que todos deveriam ter na expedição. Deviam fazer o maior silêncio possível. A caminhada duraria três horas, com quatro intervalos de quinze minutos para que pudessem lanchar e descansar do esforço, que não seria pouco. Os mais jovens deviam se comportar. Ninguém deveria em nenhuma hipótese abandonar as trilhas que percorreriam. Essa última regra, sem dúvida, também valia para os adultos. Nenhuma lanterna podia ser utilizada, assim como flashes. Celulares deveriam ser deixados na recepção. Essa medida servia para não assustarem ou afugentarem os animais que viviam soltos. Existia uma enorme variedade de animais que perambulava pelo parque sem a restrição de grades ou de jaulas. Entre eles havia macacos, aves, roedores e répteis. Como essa nova área do zoológico era uma extensão da reserva de mata atlântica da serra do Mar, havia bichos nativos que invadiam os limites do Nocturama. Por tal aspecto, o passeio noturno não era totalmente isento de perigo. Para esclarecê-los, a jovem veterinária revelou que alguns animais vinham sendo mortos naquelas dependências do zoológico. Esse era um fenômeno recente e ainda inexplicado pelas autoridades. Um sagui foi encontrado eviscerado. O mesmo ocorreu com uma família inteira de quatis. Parecia haver algum predador estranho à fauna local que perambulava ali à solta. Contudo, não deviam se preocupar. A polícia florestal mantinha uma equipe patrulhando a área. Na noite anterior tinham capturado uma jaguatirica que não era natural do parque. Os policiais investigavam se o felino teria sido abandonado ali e se era o responsável pelas mortes recentes que aconteceram no Nocturama.

Assim que reuniu o volume encontrado no quarto da criatura ao restante da enciclopédia, a sra. X teve uma ideia. Primeiro, emoldurou em papelão os numerosos desenhos feitos por ela. Em seguida, dependurou-os na parede da biblioteca. À noite, quando a criatura seguiu até a biblioteca à procura do livro, encontrou sua primeira exposição individual montada. Sob as molduras havia uma bancada com suco de groselha, biscoitos e cachorros-quentes preparados pela governanta. Também havia um cartaz no qual se podia ler I EXPOSIÇÃO MUNDIAL DE RETRATOS DO LEOPARDO-DAS-NEVES. À espreita no corredor, a sra. X viu um esgar no rosto da criatura que podia, talvez, ser confundido com um sorriso. Os olhos da criatura brilharam. As duas então brindaram com suco de groselha e analisaram detalhes no desenho do vilarejo tibetano atacado pela fera, enquanto comiam cachorros-quentes. Depois, sentaram-se no tapete felpudo diante da lareira e a sra. X releu diversas, muitíssimas vezes, o verbete da enciclopédia dedicado ao leopardo-das-neves. Nele, souberam das lendas asiáticas acerca do animal. Alguns povos do Tibete, da Rússia e da Mongólia afirmavam que o leopardo-das-neves não devorava a carne das vítimas, apenas sugava seu sangue. Essa crença se devia ao fato de a fera morder suas jugulares até elas desfalecerem. Como o leopardo-das-neves tinha furinhos nos dentes, deixava marcas de sucção na carne de seus pescoços. A fera não devorava suas vítimas porque era muito caçada. Desse modo, sempre terminava surpreendida enquanto sufocava a presa, a qual era obrigada a deixar para trás. O leopardo-das-neves está praticamente extinto devido à alta procura de seus ossos, usados pelos chineses em diversos produtos farmacêuticos (crendices afirmam que os mongóis os usavam em feitiçarias). Para regozijo da criatura, entretanto, a sra. X lhe contou que havia um raro exemplar no zoológico da cidade. As lendas também relatavam que o leopardo-das-neves tinha a capacidade de adotar a aparência de um homem.

6.

Depois de apreciar o estrago feito no gato pelos cães, o taxista teve mais uma de suas ideias, como afirmou no testemunho. Armado com um saco, começou a caçar felinos que infestavam a fábrica abandonada. Os miados daqueles malditos gatos levavam seus cães à loucura, conforme relatou. Na primeira tarde de caça conseguiu pegar três deles. Eram muito ariscos, impossível pegar mais. No passeio daquele mês, o taxista colocou os bichanos no porta-malas do automóvel e saiu com os cães. Era uma noite de lua cheia, e ele seguiu pela rodovia Anchieta até chegar a uma entrada que dava num bosque recôndito. Por ali havia um lago, e a vegetação não era tão cerrada, permitindo que caminhasse entre as árvores sem muito perigo de se ferir nos galhos ou de resvalar numa ribanceira oculta pelos arbustos rasteiros. Foi naquele lugar que o taxista libertou o primeiro gato do saco e acompanhou com regozijo a caçada empreendida pelos rottweilers. O bichano foi alcançado pelos dentes do cão mais velho quando escalava o tronco de um pinheiro e não escapou por muito pouco. Teve a barriga estraçalhada e suas tripas cobriram a grama verde e brilhosa, conforme descreveu sem esconder sua satisfação. A noite era fria, e um sopro de ar quente subiu do interior da carcaça aberta enquanto o cão revirava a cabeça e a jogava para lá e para cá como se verificasse se ainda restava alguma vida dentro daquilo, daquele saco de ossos. O gato seguinte foi mais desafiador, pois ao retirá-lo de dentro do saco o taxista foi atingido no antebraço por suas garras cortantes. Os cães, exasperados pelo ferimento causado no dono, lançaram-se ao encalço do felino, que desapareceu entre as folhagens. Latindo em desespero e revirando a parte baixa do matagal, os rottweilers penetraram os arbustos, deixando para trás o taxista com seu braço direito coberto de sangue. Após cinco minutos de intensa refrega, um dos cães saiu de dentro de um bambuzal carregando o animal morto na boca, que depositou aos pés do taxista. O terceiro gato mal atracou suas quatro patas no chão e foi alvejado por uma patada do cão mais jovem da matilha. O taxista considerou aquela eficácia uma evolução dos talentos de caçadores de seus animais, além de considerável prova de fidelidade, e voltou para casa bastante orgulhoso deles.

Todo dia a sra. X desinfetava a criatura. O trabalho era muito delicado, e se iniciava na tentativa de convencê-la a se despir. Envergonhada de sua aparência, a criatura sempre vestia capa de chuva vermelha com capuz, calças largas e galochas dentro de casa. Primeiro, a governanta limpava a pele da criatura com água boricada e algodão. As feridas se esparramavam por todo o corpo, tendo ela contato com a luz diurna ou não. Eram inflamações purulentas que surgiam de um dia para o outro como se o corpo dela estivesse em constante estado de erupção. Apareciam nos pontos de contato da pele com a cama quando a criatura se deitava ou com a cadeira quando se sentava, mas também no rosto e até mesmo na delicada penugem que lhe encobria as córneas. As mutilações em suas mãos eram terríveis, e ela relutava em tirar as luvas de couro. A maior parte do tempo a criatura estava coberta por feridas de diferentes tonalidades de cor, do vermelho mais vivo das feridas recém-surgidas às cascas quase negras de sangue coagulado dos machucados de três dias ou mais. Parecia uma pintura abstrata cujo pintor tinha desistido a meio caminho, colocando-a de lado. Seus olhos viviam inflamados por conta das irritações nas córneas e podiam até mesmo sangrar. Depois de limpar as cascas com cuidado, a sra. X se dedicava aos ferimentos infeccionados. Havia um deles na testa da criatura que parecia se renovar a cada dia. A ferida aparecia e logo infeccionava. Era enorme. Depois que a sra. X conseguia eliminar o pus, quase desaparecia com o uso de remédios secativos. Tornava-se uma cicatriz rombuda. Passados um ou dois dias, porém, a ferida retornava com a mesma intensidade. A cicatriz reabria, parecendo ter vida própria, dando lugar a um novo ferimento em forma de boca. Era difícil até mesmo a uma enfermeira experiente como a sra. X não sentir asco. Mas isso não a preocupava, pois o Senhor estava ao seu lado. Ela realizava as limpezas como parte de sua missão. O que a comovia de verdade era a bravura da criatura, que não emitia um só gemido ao longo do tratamento. Durante a limpeza, a sra. X contava histórias para distraí-la da dor. As mais apreciadas eram as histórias do leopardo-das-neves. Era uma criatura abençoada, disso não havia dúvida. Contudo, a sra. X temia que hora ou outra aquela boca na testa lhe murmurasse algo que ela não gostaria de ouvir.

I EXPOSIÇÃO MUNDIAL DE RETRATOS DO LEOPARDO-DAS--NEVES – *episódio um, no qual um vilarejo da China ou talvez da Rússia é atacado por bandidos ou quem sabe por uma besta selvagem.*

Era uma vez um antigo vilarejo acho que da China, não, não, da Rússia, em que as pessoas não conseguiam mais ter paz devido aos bandidos que o ronda-

vam. Os crimes dos bandidos eram tão sanguinários a ponto de despertarem nos habitantes a suspeita de que se tratava de uma fera, é, de uma fera, e não de seres humanos. No entanto, eles se perguntavam qual interesse um animal selvagem poderia ter por bens humanos como dinheiro e vestimentas. Com o passar do tempo e a sucessão de barbaridades, a cidadezinha deixou de atrair visitantes e novos moradores. A fama de lugar violento se espalhou por toda a região, assim, levada pelo vento, e ninguém mais pôde visitar os parentes e amigos que ali viviam. Os assaltos continuaram, porém, e começaram a ocorrer cada vez mais perto das imediações urbanas. A família de um pastor foi dizimada pelos bandidos, que, além da vida, lhes roubaram os pertences, cabras e carneiros e a única vaca leiteira que criavam. Os corpos do pastor e de seus familiares foram encontrados exangues. Estavam intactos, e apresentavam marcas de dentes no pescoço. Sim, uns furos de dentes. Os habitantes do vilarejo suspeitaram então que a chacina devia ter sido causada por um ataque do leopardo-das-neves, um animal que podia adotar a aparência humana. Todos começaram a imaginar que era uma vingança da fera, muito caçada naquela região para alimentar a indústria de peles. Para se fazer um só casaco eram necessários quatro ou cinco couros intactos, sem quaisquer perfurações de balas ou de outras armas. Por isso, devido à caça incessante, os leopardos-das-neves se tornaram cada vez mais raros. Foram desaparecendo. Certa noite, um grupo de valentes do vilarejo resolveu se unir e enfrentar os bandidos. Esses homens eram caçadores famosos e temidos em toda a região. Passaram a vida caçando leopardos-das-neves e conheciam as montanhas que cir-

cundavam o vilarejo. Se existiam homens que podiam localizar os bandidos e matá-los, ah, eram aqueles. Além disso, conheciam os hábitos dos leopardos-das-neves e, se os crimes tivessem sido cometidos por um deles, eles descobririam. Naquela manhã, os caçadores saíram da cidade montados em seus cavalos. Ao longo do dia, rumaram à cadeia de montanhas do Altai, onde achavam que os bandidos se escondiam, e acamparam no sopé. Contudo, dois dias após terem partido, não se sabia notícias dos caçadores. Seus familiares começaram a ficar preocupados com tanta demora. Passada uma semana sem novidades, o prefeito resolveu enviar um mensageiro ao local do acampamento. Era sempre naquele lugar que os caçadores paravam antes de escalar as montanhas e também depois, ao descerem, quando precisavam de um bom local para retirar a pele dos leopardos-das-neves. Aqueles animais têm um belo couro, branco e meio acinzentado, que coisa linda de morrer. Sua cor serve para que se camuflem nas altas neves das montanhas onde vivem. Têm o pelo mais longo do que o de outros felinos de mesmo porte, e pequenas manchas em forma de rosetas, assim, que se esparramam por toda a extensão da pele. Suas patas são felpudas e macias, não deixando rastros na neve. Quando o mensageiro chegou ao acampamento, encontrou os cadáveres dos caçadores. Haviam sido assassinados e apresentavam sinais de dentadas no pescoço. No entanto, ao contrário dos pastores mortos anteriormente, os caçadores mais sanguinários tinham parte de seus corpos devorados, e suas entranhas arrancadas. Não havia nenhum sinal delas nos arredores, nem ao menos marcas de sangue. O estafeta então retornou à cidadezinha e relatou a tragédia ao prefeito. Os fami-

liares dos caçadores ficaram transtornados. Depois do ocorrido, porém, os assaltos cessaram. De uma hora para outra. Passaram-se dois, três meses e nada mais aconteceu. Um dia, chegou um mascate à cidade. Todos os habitantes o cercaram, mas ele afirmou que fizera uma viagem tranquila e sem sobressaltos através das montanhas. Nenhum sinal dos bandidos, ele disse, retirando suas mercadorias do lombo do burrico. Tivera, entretanto, a sensação de estar sendo observado do alto, ao atravessar a ravina. O mascate atribuiu o fato, talvez, à presença distante de algum animal que o acompanhava e ao burrico, na longa ravina usada na descida das montanhas. Na ocasião, o mascate sentiu grande opressão sobre os ombros, tornou-se melancólico, cantou canções do passado longínquo e se lembrou de seu pai e de sua mãe, ambos mortos havia muitos anos. E nunca mais se falou do assunto naquela região, acho que da China. Não, não. Da Rússia.

7.

Conforme o grupo de visitantes enveredava pelas trilhas do zoológico, mais e mais parecia que penetravam uma floresta muitíssimo distante da civilização. Era como se ingressassem em outro mundo. Várias pessoas do grupo tentaram convencer a criatura a tirar a capa e as luvas. Ela apenas se esquivou, virando o rosto para o outro lado. Ao ver o capuz vermelho e a velha, a veterinária lembrou daquela historinha e se perguntou em que momento o lobo se juntaria ao elenco. Todos consideraram a criatura tímida e a deixaram em paz. A lua promovia um espetáculo na escuridão. O programa de visitas ao Nocturama previa que entrassem na mata e se aproximassem dos espaços habitados por animais de hábitos noturnos pouco explorados pelos visitantes diurnos, que trilhavam o calçamento usual. O grupo ficaria à espreita em meio às folhagens para não atrapalhar as atividades dos bichos, e assim poderia assisti-los em seu convívio, completamente alheios à noção de que eram acompanhados. Aquela era a única forma de vê-los fora das grutas e das tocas onde se escondiam ao longo do dia, afirmou a veterinária em seu testemunho. A primeira parada seria uma visita ao setor de animais de rapina. Carcaças putrefatas eram jogadas em setores especiais do parque para alimentar corujas, águias e outras aves carniceiras que ali viviam, além dos urubus que pertenciam àquele ambiente. Com isso, a sra. X duvidou que a experiência pudesse ser interessante, conforme alegou em seu depoimento. No entanto, os integrantes do grupo estavam animados. A etapa seguinte da visita seria observar os hábitos dos répteis. Haveria inclusive uma visita ao serpentário, onde poderiam tocar uma serpente. Quando a sra. X traduziu baixinho o que a veterinária tinha anunciado, a criatura apertou com força a sua mão, e a governanta notou naquela reação uma rara manifestação de júbilo.

A rotina do trabalho noturno do taxista era entediante. Não fosse seu apreço pela música crudita, que ele tardou a conhecer até descobrir uma rádio que só tocava aquilo, morreria de marasmo. De início, o taxista não tinha ponto fixo em nenhuma esquina da cidade, mas esta não era uma opção rentável. Em algumas noites de sorte ele podia pegar vários passageiros. Em geral, porém, não passavam de bêbados ou de prostitutas em final de noite que lhe propunham trajetos curtos, sem valer a pena. Nas poucas ocasiões em que o taxista vagou por bairros mais distantes em busca de passageiros, conseguiu apenas ser assaltado duas vezes. Essa possibilidade o levou a frequentar apenas bairros boêmios da cidade, lugares repletos de bares pelos quais vagava um contingente de alcoólatras de classe média necessitados de transporte. Com a irregularidade de ganhos advinda desse jogo incerto de espera em frente às casas noturnas, entretanto, o taxista desistiu e arranjou um modo de se integrar a um sistema de radiotáxi, cujo funcionamento era simples: havia uma central de rádio que reunia todas as chamadas telefônicas e localizava os automóveis que se situavam mais próximos dos pedestres interessados. Com isso, o taxista pôde ganhar tempo parado em um ponto exclusivo. Nesse lugar ao menos podia ler os textos sobre música erudita dos encartes de CDs que começou a comprar nas bancas de jornal, ou então tomar café enquanto aguardava. Havia semanas em que a única voz que ele escutava — exceto as quatro ou cinco palavras que designavam os destinos dos passageiros — era a da telefonista. Nessa época, passou por sua cabeça a sensação de que chegaria o dia em que ele não mais reconheceria a voz humana. Assim, em seu novo trabalho o tempo parecia passar um pouco mais devagar e lhe diminuía a sensação de caos interno sentida ao vagar à noite pelos bairros, avenidas, pontes e ruas da cidade esvaziada de gente. Contudo, o fato de permanecer ouvindo música e lendo jornais do dia anterior não amenizava a angústia que sentia por deixar seus cães sozinhos. A preocupação que o taxista sentia pelos cães era comparável somente àquela sentida por um pai em relação aos filhos.

A empresa administradora continuava a fazer depósitos com regularidade. Com isso, compras de mantimentos eram feitas por meio do serviço de entregas do mercado coreano da rua Três Rios, no Bom Retiro. Uma tarde, ao receber os produtos, a sra. X conseguiu arrancar algumas frases do jovem entregador. O rapaz era bastante tímido, o que, aliado à sua pouca fluência em inglês ou em português, talvez tenha causado mal-entendidos ao longo da conversa com a governanta. Não se exclui a possibilidade de que o mesmo tenha ocorrido em seu depoimento. Ele disse à sra. X que a considerava muito simpática, mas que não gostava de fazer entregas naquele endereço. O casarão não era bem-visto no bairro, e corriam muitas lendas a seu respeito. Aparentemente, o imóvel pertencia a uma antiga família de bruxos russos. Nenhum integrante da família era visto fazia tempos, entretanto, e durante alguns anos se imaginou que estivesse abandonado. Até que surgiu a sra. X e, com ela, novos pedidos de entrega. Dizia-se que no casarão também vivia uma criança, e que a sra. X era responsável por ela. Mas ninguém nunca a vira. O entregador gostaria de saber se aquilo era verdade ou boato, e por que a criança nunca era vista indo à escola, por exemplo, ou então saindo de casa. A sra. X também despertava a curiosidade dos vizinhos, e alguns diziam que ela era mais uma bruxa e que a outra pessoa não era uma criança, e sim uma velha. Mas não o entregador, que a considerava muito simpática, como afirmou em seu testemunho. Por outro lado, seus colegas do mercado coreano engrossavam a boataria quando não tinham o que fazer, nos intervalos das entregas. Eles costumavam inventar muitas histórias, mas não somente acerca da sra. X. Entre os boatos prediletos dos jovens entregadores estava uma história sobre judeus ortodoxos que perambulavam à noite pelo bairro. Diziam que eles pertenciam a uma sociedade secreta de místicos que se reunia nas ruínas do antigo teatro abandonado da rua Três Rios. Diziam que à noite eles podiam ser entrevistos através das janelas embaçadas do teatro com seus enormes chapéus negros sob a luz de velas. Contavam que celebravam cerimônias macabras no lugar. Que sacrificavam crianças e animais. Os entregadores do mercado coreano eram muito ignorantes e solitários, não tinham namoradas e por isso, para matar o tempo, ficavam inventando histórias sem pé nem cabeça. De certo modo, também pertenciam a uma sociedade secreta, a dos solteiros sem perspectiva. Mas não o jovem entregador, pois ele tinha uma namorada, conforme afirmou em seu depoimento.

8.

Depois de atravessarem um trecho escuro do parque, as pessoas do grupo entraram no serpentário. O lugar lembrava uma estufa esquecida no meio da floresta. Serpentes de diversas famílias se esparramavam pelo jardim e a sra. X, ao se deparar com o cenário, pensou que o paraíso bíblico não devia ser muito diferente. Ela só esperava que nenhuma daquelas víboras fosse o demônio disfarçado para tentá-la ou à criatura. A sra. X tinha uma missão a cumprir naquela noite e nada a desviaria de seu calvário. A veterinária começou então a dizer quais eram as proveniências dos répteis preservados no Nocturama e a descrever seus hábitos alimentares e outros aspectos interessantes da vida das cobras. Entre as pessoas do grupo era possível ouvir manifestações de satisfação e de curiosidade, enquanto a veterinária apontava ora uma cascavel, ora uma jararacuçu. Ao ver os animais, o grupo deixava transparecer seu nervosismo. A criatura, porém, continuava calma, com as mãos enluvadas nos bolsos e o capuz vermelho cobrindo sua cabeça e o rosto. Então todos enveredaram por um corredor ainda mais escuro e coberto por samambaias. Nesse momento a sra. X pensou ter visto o serpentear de víboras soltas entre as plantas. A veterinária seguia adiante, explicando que agora veriam uma rara píton birmanesa albina. Ela também disse que as pessoas poderiam tocá-la para sentir sua pele fria e seca, afirmação que recebeu murmúrios de reprovação de alguns e de excitação de outros. A sra. X sentiu enorme curiosidade de conhecer de perto uma píton birmanesa albina e disse isso à criatura, que não emitiu nenhum sinal. Quando o grupo se acercou do local onde a serpente ficava, a veterinária contou a história de um jovem tratador de cobras que acreditava ter o poder de se comunicar com um animal semelhante àquele. O rapaz trabalhava num zoológico da Nova Zelândia, e começou a delirar que a serpente era sua melhor amiga. Esse é um fenômeno muito comum entre tratadores de animais selvagens, afirmou a veterinária, pois em sua solidão acabam esquecendo da real natureza das feras. Certa noite na qual se encontrava sozinho no zoológico, o tratador entrou completamente nu na gruta onde a píton birmanesa albina vivia. No dia seguinte, após encontrar as roupas deixadas do lado de fora, a segurança do zoológico foi obrigada a sacrificar o animal, que devorou o tratador durante a noite. Seu corpo foi retirado do estômago da serpente quase intacto, apenas recoberto por uma gosma digestiva. Entristecido pela morte, o rapaz ainda sorria. Exclamações de nojo se ergueram em uníssono outra vez. A sra. X apertou a mão da pequena criatura. Mas a veterinária alegou que ninguém devia se preocupar, pois a píton birmanesa albina que eles veriam era um animal domesticado e habituado à presença humana, embora tivesse hábitos noturnos. Os olhos da criatura brilharam ao ouvir a governanta lhe traduzir isso, afirmou a sra. X em seu depoimento. A píton birmanesa albina havia pertencido a um circo, e fora entregue ao Nocturama para ser cuidada. Isso aconteceu depois que proibiram o uso de animais em espetáculos circenses. A veterinária então afastou um arbusto e as pessoas puderam ver a serpente branca enrolada. Devia ter sete ou oito metros, a sra. X calculou, talvez mais. Era gigantesca. Um rapaz que estava na dianteira do grupo obedeceu à veterinária quando ela levantou a cabeçorra do animal, tocando-a com as mãos. Depois, outra pessoa repetiu o gesto, e assim todos foram se aproximando e tocando a píton birmanesa albina. Logo após a sra. X fazer o mesmo, a criatura se aproximou na tentativa de imitá-la com as luvas, mas a píton birmanesa albina se soltou com um movimento violento das mãos da veterinária e deslizou, desaparecendo entre a vegetação cerrada dos fundos da estufa.

O jovem entregador dizia a seus companheiros do mercado coreano que tinha uma namorada. Os outros entregadores, entretanto, sabiam que aquilo era mentira, e caçoavam dele pelas costas. O jovem entregador sempre fora um rapaz muito tímido. Não que não tivesse tentado namorar alguém, pois ele havia feito isso. O problema era que toda vez que se aproximava de uma garota, ela acabava rindo da cara dele. E isso lhe fazia muito mal, fazia-o se sentir menos que um ser humano, alegou em seu testemunho. Era como se ele fosse um animal. O emprego que arranjou no mercado lhe dava alguns trocos, e, caso arrumasse uma garota, poderia até mesmo levá-la ao cinema. Mas era difícil. O entregador provinha de uma família muito pobre que viera a São Paulo trabalhar na confecção de um tio rico. Sua mãe, seu pai e suas irmãs faziam isso. Mas não ele, pois preferiu fazer entregas para o mercado de seu padrinho. Para ver se conseguia namorar, o entregador começou a frequentar um grupo de jovens que se reunia em uma igreja do bairro. A paróquia era a de São Kim Degun, sustentada por comerciantes ricos do Bom Retiro. Nas missas havia mais de uma garota bonita, porém o entregador logo arranjou a sua preferida. Era uma moça risonha que auxiliava na leitura dos evangelhos. Estava sempre acompanhada de outras meninas da mesma idade e de meninos de idêntica classe social. Isso não fez o entregador desistir, conforme depôs. Em casa ou no intervalo das entregas ele sonhava com a garota, com suas roupas brilhantes e com seu corte repicado. Os adolescentes coreanos têm um modo ousado de se vestir, influenciado pelas revistas de moda japonesas. E a garota tinha dinheiro, além de ser filha de gente do ramo da confecção, o que fazia com que se vestisse com exagero. Havia uma minissaia repleta de pedrinhas brilhantes que ela costumava exibir nos encontros nos quais ensaiavam músicas celebradas nas missas e que enlouquecia o jovem entregador. Debaixo dos lençóis, à noite, ele imaginava a si próprio arrancando aquela saia e depois fazendo sexo com a garota da paróquia de São Kim Degun.

I EXPOSIÇÃO MUNDIAL DE RETRATOS DO LEOPARDO-DAS--NEVES – *episódio dois, no qual um jovem leopardo-das--neves se cansa da solidão das montanhas e se aproxima dos seres humanos, mesmo com certa repugnância.*

Era uma vez um leopardo-das-neves que vivia só no alto de uma montanha do Tibete, talvez da Rússia. É, acho que da Rússia. Todos os seus parentes tinham sido caçados, e só ele, graças à sua bravura e juventude, sobreviveu naquelas paragens distantes e esquecidas pelo homem. Ao leopardo-das-neves não restava outra coisa a não ser caçar ratazanas e aves que percorriam as rochas aquecidas pelo sol enquanto a neve derretia. Passava o verão e chegava outro inverno e o leopardo-das-neves sentia-se a cada ano mais solitário. Então um dia ele conheceu a cobra. Como não lhe apetecia nem um pouco comer cobras (ele sentia um bocado de nojo delas), resolveu conversar com aquela. A cobra, apesar de sua aparência asquerosa, mostrou-se grande conversadora. Além disso, também era sábia, e argumentou ao leopardo-das-neves que não havia sentido em passar a existên-

cia naquele pico de montanha com o pescoço enfiado nas nuvens. Existiam, afinal, diversões muito mais interessantes do que acompanhar a neve derreter, a rocha esquentar, o céu despencar em forma de água, a água congelar e a neve voltar a cobrir a terra e depois derreter, esquentar, despencar, congelar e derreter de novo. A vida não era só aquela repetição tediosa. O leopardo-das-neves poderia, quem sabe, acompanhar os seres humanos que viviam no acampamento mais ao norte, no sopé da montanha. O jovem felino logo se sentiu interessado. Humanos?, pensou, mas os humanos são tão perigosos, meu avô sempre dizia que eu não devia me aproximar deles. Meu avô que, aliás, foi morto por um humano que acabou arrancando sua pele. Meu avô que um dia acabou dando sopa ao passear perto demais dos humanos. Teu avô foi até lá porque necessitava fazer isso, disse a cobra, porque não tinha outra saída. Porque esse é o nosso destino, uma hora ou outra nos aproximarmos dos humanos. E agora chegou a sua vez de vê-los de perto. Eles são um espetáculo, você vai ver. Vê-los sofrer suas mesquinharias e praticar suas pequenas violências e sua grande crueldade é uma diversão infinita, disse a cobra. Depois de conhecê-los e ao seu espetáculo de miséria você vai achar esta montanha congelada o lugar mais chato do universo, ela disse, pode apostar. E assim foi. Um dia após a grande nevasca, o leopardo-das-neves desceu as montanhas do Altai, onde vivia. Desceu pé ante pé, ou melhor, pata ante pata, disfarçado em meio à brancura da neve que ocupava tudo o que sua visão podia abarcar. Ele não era visto por ninguém, e começou a acompanhar o dia a dia do acampamento. A fumaça das chaminés fazendo desenhos no céu. As idas e vindas

das crianças se divertindo em volta da fogueira. As mulheres derretendo em grandes fogueiras a água do riacho congelado, carregando baldes muito maiores do que elas próprias. Como podiam ter força suficiente para aquilo com sua aparência tão frágil? Os homens voltando da caça sem a comida necessária para alimentar toda a tribo. Crianças definhando e definhando. Velhos abandonados à míngua para morrerem de vez. Homens se tornando violentos e sanguinários e insaciáveis. Mulheres murchando e murchando cada vez mais. Era incrível como aqueles seres tão pretensiosos e arrogantes insistiam em lutar em vão contra a sua animalidade ancestral. Realmente, aquilo era muito, muito divertido. A cobra estava cheia de razão, os seres humanos eram diversão garantida. Nada do que faziam supunha qualquer sentido. Mas então, um dia, o leopardo-das-neves ouviu um ruído estranho vindo de um dos barracos do acampamento. Era um som agudo e melancólico, e ouvi-lo lhe dava uma grande sensação de tristeza. O som vinha de um barraco isolado, onde viviam uma mulher, o marido e sua criança. Burlando todas as regras de sobrevivência que seu avô tinha lhe ensinado, o leopardo-das-neves se aproximou devagarinho do lugar e olhou o que havia em seu interior. E lá estavam a criança estendida sobre o catre de pele de carneiro e a mãe sentada a seu lado, velando-a. A criança estava morta, e o ruído estranho que atraiu o leopardo-das-neves emergia, agora ele podia ver, das profundezas da garganta da mulher com grande, infinita beleza, atingindo o leopardo-das-neves direto no coração. Ela estava cantando.

9.

As lendas contadas pelo entregador a respeito do casarão deixaram a sra. X intrigada. Desde a sua chegada ela sentiu certo pavor em relação àqueles incontáveis retratos de judeus esparramados pelas paredes da casa. Em algumas soleiras e nos patamares da grande escadaria de madeira do sobrado, era possível encontrar símbolos esculpidos, em geral tetragramas aparentemente em hebraico. A governanta se persignava cada vez que passava por uma marca daquelas. Na biblioteca existiam outros símbolos emoldurados, e um deles trazia dois corpos masculinos nus entrelaçados por meio de uma túnica. De pé, o descabelado homem branco retribuía com fixidez o olhar do espectador. De costas e virado de cabeça para baixo, o rosto do homem negro não podia ser visto. A posição dos dois corpos lembrava uma letra X e eles tinham seus genitais em contato, a sra. X afirmou no testemunho. Era tão indecente que lhe fazia mal só de vê-la, por isso ela fingia que a imagem não existia. Mas nem sempre isso era possível. Em certas ocasiões, quando espanava as prateleiras, seus olhos caíam ao encontro dos olhos da imagem dependurada na parede parecendo zombar dela. A sra. X então evocava o nome do Senhor e saía da biblioteca. Ela começou a se perguntar se aqueles símbolos teriam a ver com os judeus das fábulas dos entregadores do mercado coreano e suas reuniões secretas no teatro abandonado da rua Três Rios. Então a sra. X viu um vulto no final do corredor superior que dava nos quartos de dormir. Não passava de uma sombra, mas era possível ver que se mexia. Vencendo o próprio medo e com a mão direita segurando com força o crucifixo no peito, ela caminhou para o lado do vulto. O final escuro do corredor se misturava ao papel de parede cinzento, mas mesmo assim a sra. X percebeu que a sombra também caminhava em sua direção, aumentando de tamanho. Ao chegar na metade do caminho, a sra. X percebeu que aquele vulto móvel não passava do seu próprio reflexo no espelho do final do corredor.

O taxista seguia o caminho de volta ao zoológico quando os cães começaram a farejar e a latir no banco traseiro do automóvel. Aquele comportamento era bastante incomum. Quando saíam para passear, os cães costumavam se manter quietos até chegarem ao destino. Nessas ocasiões, o taxista sentia prazer em fantasiar que se concentravam para a caçada que em breve aconteceria. Era como se estivessem mentalizando o futuro em silêncio. Os cães tinham na cabeça a imagem de um gato ou de uma lebre ou de uma cabra e, ao fazer isso, conseguiam adivinhar os movimentos que suas presas fariam ao procurar fugir. Assim, os cães podiam antecipá-los. Era por isso que ficavam em silêncio. Não havia animal que pudesse fazer frente aos seus rottweilers. Mas naquela noite eles estavam inquietos. Tudo bem que a lua estava mais cheia do que nunca, e aquilo afetava os animais, relatou o taxista. Porém eles não estavam uivando para fora do automóvel, e sim resfolegando no estofado do banco, que já estava prestes a se rasgar. E aquilo não podia ser. Se percebessem na cooperativa que o taxista transportava animais no táxi, seu emprego estaria comprometido. Por causa dessa hipótese, ele parou o automóvel no acostamento. Os cães, contudo, não pareciam se dar conta de que o dono tinha estacionado, e continuaram a se esfregar em círculos, completamente descontrolados. Somente ao observá-los pela janela de trás, o taxista notou que os cães disputavam entre si o local onde a criatura havia sentado.

Uma noite, enquanto procedia à limpeza e contava mais uma de suas aventuras do leopardo-das-neves, a sra. X notou que as feridas da criatura haviam se multiplicado. Antes não existiam em tal quantidade e não eram tão profundas. Não sangravam profusamente, a não ser a ferida da testa, que nunca se fechava. Contudo, as novas adquiriam coloração gangrenosa em poucos minutos, um roxo-escuro semelhante ao de sangue pisado. O lençol retirado da cama da pequena criatura parecia uma enorme gaze de um ferimento em pleno processo hemorrágico. Apavorada pelo volume de sangue, a sra. X pensou que devia levá-la a um hospital. Aquela condição inédita superava por completo os seus conhecimentos de enfermagem. Ela necessitava de auxílio médico. Dos instrumentos de um ambulatório moderno, e não das velharias enferrujadas à mão. Ao ouvir isso, porém, a criatura relutou. Não escreveu nenhum bilhete, como fazia quando tinha solicitações a fazer, apenas soltou um gemido fundo e dolorido, e abriu um largo bocejo, deixando entrever que não lhe restava mais língua. A sra. X, horrorizada — nada a incomodava mais do que constatar o estágio avançado da enfermidade que afligia a criatura —, lembrou-se então que, de acordo com o contrato assinado com a empresa administradora, não poderia levá-la a um pronto-socorro. Lembrou-se também de que no contrato constava um telefone destinado a uma situação emergencial como aquela. Depois de trocar os lençóis, a sra. X foi até o quarto que ocupava no piso inferior e procurou o papel na gaveta da penteadeira. Lá estava. De imediato, ligou para o número indicado. Alguém atendeu, mas nada disse. Ela podia ouvir a respiração no bocal do aparelho do outro lado, e falou o que estava ocorrendo. Após isso acontecer, o telefone foi desligado. Passados quinze minutos, tocaram a campainha da entrada. A sra. X atendeu a porta e entraram dois homens em silêncio, seguidos por um velhinho de olhar afetuoso e grandes sobrancelhas brancas. Eles conheciam muito bem o casarão, pois, nem bem a governanta passou a chave, subiram ao segundo piso e entraram no quarto da criatura. A sra. X esperou do lado de fora, no corredor. A porta permaneceu fechada. Passaram-se uma, duas horas. Então a porta abriu e os homens, três judeus de ternos pretos e chapéus felpudos iguais aos usados pelos cossacos e idênticos ao homem emoldurado nos retratos da sala irromperam quarto afora e desapareceram escada abaixo. A sra. X não deixou de notar que o velhinho, que devia ser o médico, pois carregava uma valise com instrumentos, claudicava ao caminhar. Devia ter mais de noventa anos. Ao entrar no quarto, a sra. X percebeu que a pobre criatura havia melhorado e estava adormecida. Existia um odor no ar que de início ela pensou se tratar de cânfora, mas logo percebeu ser um intenso perfume de flores.

10.

Na tentativa de se aproximar da garota que cortejava, o entregador do mercado coreano entrou para o grupo de jovens da igreja de São Kim Degun. Logo na saída da primeira prática de leitura de versículos ele percebeu que não tinha nada em comum com o restante do pessoal. Os automóveis dos pais dos outros integrantes eram caros. Depois que os adolescentes desapareciam no interior escuro dos Daewoos e Kias, o entregador restava solitário na calçada em frente à igreja. O caminho até sua casa no bairro do Pari exigia que pegasse duas conduções. Ele chegaria lá e haveria um prato de sopa no forno à sua espera. Sua situação não era de todo má. O mundo podia ser muito pior do que aquilo. Ele poderia, por exemplo, ter sido obrigado a viver com sua tia no interior. Ele odiava aquela velha. O entregador suportaria tudo, entretanto, da sopa rala de soja ao trabalho medíocre no mercadinho, ele suportaria tudo, até mesmo viver com a tia, se conseguisse conquistar a garota da paróquia de São Kim Degun. No trajeto até o ponto de ônibus, o entregador passou em frente ao casarão da rua Talmud Thorá. As janelas do andar do piso superior do sobrado estavam abertas e as luzes acesas. Ele parou diante do portão e ficou observando por uns minutos. No vitrô da sala dava para ver uma pessoa do tamanho de uma criança, devia ser a tal das histórias contadas pelos outros entregadores. Pela silhueta, ela usava capa de chuva com capuz e galochas mesmo estando dentro de casa. Pela altura, devia ter uns dez anos, mas havia algo de estranho nela, o entregador não sabia dizer o que era, conforme afirmou em seu testemunho, pois ao se mover não parecia uma criança. O entregador pensou ter visto uma cauda colada à silhueta. Seria um cachorro? Acabaria perdendo o ônibus se ficasse um minuto a mais parado ali. Então o entregador viu a sombra da sra. X subindo através dos vidros da escadaria no interior do casarão. Ele olhou de novo para a janela da sala do piso superior e percebeu o que havia de esquisito na criatura: seu corpo parecia mesmo o de uma velha encarquilhada, não lembrava uma criança, exceto talvez pela estatura. Movia-se vagarosamente como se sentisse dores ao caminhar. Parecia estar bem perto de morrer. A sra. X então ergueu a criatura no colo. O rapaz consultou seu relógio. Teria de aguardar o próximo ônibus.

Na manhã seguinte, ao atender uma encomenda na rua Três Rios, o entregador do mercado coreano viu dois judeus suspeitos entrando no velho teatro abandonado. Os homens estavam maltrapilhos, ao contrário de outros judeus do bairro, e caminhavam como se o Alien ou então o Predador ameaçassem pisar seus calcanhares. O entregador sentia arrepios ao passar em frente àquele lugar, pois o cheiro de mofo lhe atacava a rinite alérgica, porém mesmo assim resolveu segui-los. Naqueles dias, seus colegas do mercado andavam muito excitados com histórias de judeus malucos. Diziam que um homem conhecido por Rabino havia sido preso no Bom Retiro. Tinha saído no jornal e tudo. Ele era procurado em Israel por torturar e abusar sexualmente de crianças. O israelense era um falso rabino, claro, entretanto dois cúmplices tinham sido presos junto com ele. Contudo, os outros funcionários do mercado alardearam que nem todos os seguidores do falso profeta estavam na cadeia, e que alguns andavam à solta por aí, escondendo-se no labirinto imundo do bairro. O Rabino afirmou à polícia que as crianças pequenas estavam tomadas pelo demônio, e que ele apenas as purificava. Para se tornarem puras elas deviam apanhar, ser amarradas, sofrer queimaduras e comer fezes. O criminoso era o homem mais procurado de Israel, onde fizera tudo isso com oito crianças. Uma delas ainda estava em coma devido aos maus-tratos. O jornal dizia que o Rabino do Demônio havia aliciado quatro seguidores em São Paulo, e que dois deles permaneciam em liberdade. Ao se esconder entre as cadeiras amontoadas do teatro em ruínas, o entregador pensou que os procurados podiam ser os mesmos dois homens que tinham acabado de desaparecer nos camarins dos fundos. Continuando a se esgueirar, ele escalou um camarote lateral e esperou que os dois criminosos aparecessem. Depois de algum tempo, ambos assomaram no palco semiafundado. Murmuravam um ao outro palavras em hebraico. Conversavam. Pareciam homens muito pobres, e suas roupas esgarçadas eram de dar pena. Eles acenderam uma vela e a puseram num caixote de madeira no centro do palco. Depois abriram uma lata de sardinhas e a devoraram num só segundo. Aos olhos do entregador, os homens pareciam dois coitados à espera de uma ordem que nunca viria. Estavam pálidos, e a sombra de suas barbas negras se alongava na parede do velho teatro abandonado. Depois de comer, gesticularam e começaram a falar mais e mais alto, porém o entregador coreano, claro, não podia compreender o que diziam. De repente, um deles sacou um papel do bolso e começou a repetir o que falara antes, com as mesmas pausas e inflexões. Foi então que o entregador considerou que talvez fossem apenas dois atores ensaiando.

O passeio noturno no zoológico havia começado não fazia meia hora. Preocupada com a criatura, a sra. X a carregava nos braços na travessia dos trechos mais difíceis da mata. Devido a isso, eram as últimas pessoas no final da longa fila indiana. Ao atingirem uma área mais escura na qual as árvores tapavam o céu, a sra. X não pôde deixar de se lembrar de um filme a que assistira na juventude, um filme que contava a história de uma mulher que se perdia na selva africana e que depois de ser salva, contra todos os prognósticos, resolvia se suicidar. Ela nunca entendeu a contradição daquela mulher. A impressão era a de que participavam de um safári. Então, orientada pela jovem veterinária, a fila parou de andar. A veterinária pediu que todos permanecessem em silêncio. Que buscassem ouvir os sons da natureza, os cicios de aves e de morcegos, o rastejar de cobras e répteis, o farfalhar de galhos e o vento em Nocturama. A veterinária adotava esse tom épico ao falar, relatou a sra. X, parecia uma atriz meio canastrona. Todos obedeceram. Era impressionante, pois ali parados se tornava impossível captar o menor sinal de que ainda se encontravam não muito distantes do centro da maior metrópole do continente. Nenhum ruído de carros ou de helicópteros, nenhum sinal de outros seres humanos além daqueles presentes. Nenhuma memória do mundo civilizado, a não ser o zumbido de um avião distante. E as estrelas, ah, as estrelas. Ninguém a persegui-las. A sra. X depositou a criatura no solo e ouviu as galochas dela tocando levemente o tapete de folhas secas. Se o silêncio fosse um pouco maior e o ruído ofegante dos visitantes desaparecesse por um segundo apenas, a sra. X teve certeza de que conseguiria ouvir o coração da criatura batendo em uníssono com o do leopardo-das-neves distante do local dois quilômetros parque adentro.

3. O escrivão:
Telefonemas

No meio da noite em que colhi os primeiros depoimentos tive um pensamento paranoico: e se o metabolismo do velho se adaptasse ao sedativo que lhe ministrava, amenizando seu efeito, e ele acordasse enquanto eu ainda estava no trabalho? A balbúrdia que a presença dos suspeitos no "caso do passeio noturno" (assim a imprensa o denominou) vinha causando no 77º DP me confundiu, e pensei nisso só quando pude ir ao banheiro lavar o rosto e engolir dois Inibex. Desperto, ele poderia sair de casa e desaparecer nas ruas do bairro. A porta estava trancada à chave, mas havia outra dependurada na parede ao lado da fechadura interna. Minha preocupação parecia plausível, pois o velho de vez em quando repetia algum hábito antigo, como abrir a portinhola do gato e conferir se o bichano havia esvaziado a tigela de leite. Bem que ele podia acordar, pegar a chave, abrir a porta e desaparecer. Por um instante, pensei se isso não seria o melhor. Eu não precisaria mais limpar a bunda dele, contar histórias de ninar para ele ou acompanhar a morte lenta de cada um de seus neurônios, além de inalar o fedor de queimado trazido a reboque. Como ainda faltavam algumas horas para o encerramento do expediente, levado pela intuição de que um problema grave poderia acontecer, pedi licença ao meu superior e saí da delegacia mais cedo do que de costume, driblando repórteres que cochilavam na calçada. Na sombra da mangueira em frente ao prédio, uma revoada de morcegos ceava restos de frutas podres. Ao descer a escadaria do metrô e me deparar com os halos das luzes artificiais dos túneis meio alteradas pela insônia, percebi que ali nunca amanhecia. Na estação Tiradentes, a densa copa das árvores interrompia a luz dos postes, deixando as pedras do calçamento invisíveis e o caminho mais escuro e perigoso. No posto avançado da polícia, um trailer disposto no final da praça e no início de uma ramificação de becos usada como esconderijo pelos viciados naqueles dias de limpeza, reconheci alguns colegas. Acenei e prossegui meu caminho, apressado. Estava arrependido por não ter escondido a chave. Tinha feito isso não sei bem por quê, talvez por temer um incêndio ou então para que o velho a encontrasse e desaparecesse e eu enfim pudesse viver em paz.

Ao chegar em casa, a lâmpada da escadaria estava apagada. Mas como, se eu a deixava sempre acesa? Subi os degraus de dois em dois e ao chegar no patamar testei o interruptor. Não funcionou. A lâmpada devia ter queimado. No escuro, acertei o buraco da fechadura com dificuldade. Permanecia fechada, o velho tinha saído e a trancado ou então não tinha saído. Abri a porta, tudo quieto. Dentro, a chave não estava mais no gancho habitual. Dirigi-me ao aposento do velho com a respiração suspensa, e no meio do caminho acertei o bico da mesa de centro com o joelho. A pancada foi tão certeira que não segurei a voz. Após a gravidade do gemido, o silêncio do interior do apartamento pareceu ainda mais duvidoso. O velho, porém, continuava adormecido em sua cama, na mesma posição em que o deixara na noite anterior, ao término dos últimos episódios do "caso do passeio noturno" que eu lhe relatava. Nenhum sinal da chave no piso do quarto ou na mesa de cabeceira. Apaguei o abajur e me esparramei no sofá da sala com um copo de uísque na mão. Tomei mais um Inibex. Eu daria meu décimo terceiro salário em troca de dez horas de sono ou quem sabe sete horas, até cinco estariam valendo. Mas quem cuidaria do velho? Ademais, nunca recebi décimo terceiro. Não dava para confiar naquele boliviano estúpido que trabalhava na mercearia. Era um boliviano só ou eram vários? Talvez o primeiro boliviano tenha passado o trabalho para algum primo desempregado, e este a outro primo e assim sucessivamente, toda a população masculina de Santa Cruz de la Sierra já devia ter passado pelo balcão da mercearia. Bolivianos são todos iguais, coreanos também, e negros e judeus. Só eu não pareço com ninguém, nem comigo mesmo. Olhei para a parede do corredor, a velha prosseguia em sua dissolução no retrato fantasma. Em breve seria apenas uma silhueta apagada da fotografia. Lembrei da noite de minha infância em que a insônia deu seus primeiros sinais. Foi um inverno rigoroso na cidade, o mais frio dos últimos quarenta anos, logo depois de o dr. Glass me presentear com o livro sobre a história de Quanah Parker e seus comanches. Eu ficava enfiado com a lanterna acesa debaixo do cobertor até tarde, parecia uma cabana de índio, acompanhando meio chateado a desaparição dos bisontes no livro. Se minha mãe me flagrasse viria reprimenda na certa, pois eu estudava de manhã e precisava acordar cedo. Naquela noite percebi uma movimentação discreta no corredor. Bisbilhotando pela fresta da porta entreaberta, vi o velho diante do mancebo vestindo o seu capote e colocando o chapéu. Depois ele desceu a escadaria bem devagarinho, evitando pisar nos degraus que rangiam para não acordar ninguém. Da janela do quarto pude vê-lo sob o foco aceso do poste em frente de casa. Ele deu uma olhada para cima como a se certificar de que não era observado. Quase me viu. E então sumiu na escuridão do final da rua. Na manhã seguinte estava na mesa do café da manhã, calado como sempre. Entre ele e minha mãe, nenhum sinal acerca da escapadela da madrugada. À noite, permaneci à espera de uma nova saída dele, mas nada aconteceu, a não ser que perdi o sono e cheguei atrasado à aula. Na escola, dormi sobre a carteira, e a professora alertou minha mãe. Levei umas chineladas. Então, de madrugada, entre peles--vermelhas e cochilos, flagrei o velho saindo de novo. Ele repetiu o método de não pisar nas tábuas rangentes da escada, porém não consegui imitá-lo em minha tentativa. Enquanto o seguia, ao pisar no antepenúltimo degrau, o mais barulhento de todos, e impedido de saltar outros dois devido às pernas curtas, fui eu o flagrado. Ganhei de minha mãe a segunda sova daquele dia infeliz e, satisfatoriamente aquecido, afinal pude dormir. Naquela noite devo ter sonhado que era um guerreiro comanche humilhado por uma velha *squaw* e reduzido a limpar bosta de pangaré. Na manhã seguinte, tudo igual: era como se a noite anterior não tivesse acontecido. Continuei a acompanhar a movimentação nas semanas e nos meses seguintes, e o velho prosseguiu com sua ativa rotina noturna, até eu cansar daquele vaivém e me desinteressar pelo tal segredo, se é que existia algum. Até que fosse eu a sair de casa de vez.

Estranhei, ao abrir os olhos. O relógio marcava 3h33 da madrugada. Tinha cochilado menos de quinze minutos. Uísque derramado molhava minhas calças. Sem chorar em cima do derramado, fui ao banheiro. No caminho, tropecei no copo caído no chão. Encontrei a chave da porta na pia. Havia escondido a chave, contudo — devido à confusão mental de insone — a escondi apenas de mim mesmo. A preocupação com uma possível saída do velho se mostrou certeira, pois ele poderia encontrá-la com facilidade, jogada do jeito que estava. Fiquei um tempo refletindo sobre isso, estudando minhas olheiras no espelho, perscrutando rugas que se irradiavam a partir dos olhos, alastrando-se meio amareladas pelo rosto pontuado por pequenos vasos azuis onde o sangue parecia congelado e imóvel, a pele mais embranquecida do que antes, em consequência dos hábitos (quando criança minha pele era mais escura), entretanto não chegava a ser como a de minha mãe, não era negra, salpicada por pintas pretas e pelo negrume das regiões das axilas, dos seios e da virilha; sob a luz fraca do espelho, minha testa e as bochechas estavam brancas demais. Iguais às do velho, será?, ou ao menos como costumavam ser antes de seu corpo ser tomado por manchas senis que começaram a surgir no dorso das mãos e depois terminaram por povoar sua cútis inteira, que eu acompanhava de perto com a bucha ensaboada nos banhos mornos que lhe dava, numa espécie de passeio antecipado sobre minha própria pele futura, a perceber pelo progressivo clareamento de meu rosto, ou seria amarelecimento, esmaecimento, quem sabe desaparição em vida similar à dissolução de minha mãe no retrato do corredor, ou um esgarçamento decorrente da ausência de melanina, do enfraquecimento que principiou com a acne da puberdade e prosseguiu com outras patologias, por exemplo a seborreia que me acomete o couro já nem tão cabeludo assim e a calvície decorrente dela, o pouco cabelo sarará que me restava, as marcas do envelhecimento e os eczemas, umas dermatites e verrugas nos antebraços e nos joelhos, sinais da devoração constante a que o corpo é submetido desde o nascimento, acrescido de queimaduras, de cicatrizes, resultados de outros acidentes (e de *inconsistências*, como dizia minha ex-mulher) que podem atingir o clímax indesejado de um melanoma maligno que seria a morte de tudo aquilo, daquele mapa que é este nosso mapa singular, o corpo, um mapa de pele que demarca caminhos por onde andamos, desvios tomados por equívoco, e que afinal desaparece debaixo da terra ou então é incinerado junto de nosso destino que fica fora do mapa, do qual não sabemos nem hora ou local, só sua inexorabilidade, um mapa que some com o próprio lugar mapeado. Foi então, em meio a tantas filosofadas, que o telefone tocou. Era tarde para o telefone tocar. Ou então cedo demais. Também não deixava de ser conveniente que tocasse àquela hora.

O telefone tocou duas, três vezes. No quarto toque, pulei em sua direção. Quem poderia ligar no meio da madrugada? Só poderia ser má notícia. Nenhuma novidade podia piorar o estado em que as coisas estavam, pelo contrário: eu ansiava por más notícias que melhorassem tudo. Ademais, não devia existir surpresa que pudesse vir de fora daquele apartamento da rua Guarani, a não ser que estivesse acontecendo algum desastre no andar térreo, uma enchente na mercearia ou um incêndio no 77º DP. Seria o boliviano ou seus primos bolivianos? Havia, afinal, apenas um rapaz boliviano ou eram diversos? Em caso positivo, seria a primeira vez que eu ouviria sua voz, e logo pelo telefone. Não sei falar espanhol. Ergui o aparelho. Do outro lado, silêncio. Então uma voz, a mesma da outra ocasião, aquela voz perguntou pelo nome do velho sem esquecer de nenhuma consoante muda. Também não falava espanhol. Está dormindo, quem fala, quem gostaria, por que estão ligando?, falei. Silêncio. Ruído de estática ao fundo, um clangor de fios sendo sacudidos pela tempestade elétrica. Insisti. Isso são horas de ligar, ainda mais na casa de uma pessoa idosa, doente, hein? Silêncio. Necessitamos falar com o seu pai, disse a voz, cada vez mais roufenha e se misturando ao som de milhões de cabos telefônicos esticados, soltos e de novo esticados, é urgente, muito urgente. Ele não pode atender o telefone, falei, está impossibilitado. Mesmo que pudesse, não diria coisa com coisa, pois seu quadro se agravou, sofre de demência. Silêncio prolongado. É a respeito dos depósitos atrasados. Precisamos saber o motivo da suspensão dos depósitos. Sem eles, não temos como cumprir nossa obrigação, a voz disse. Mas que obrigação é essa, falei, de que se trata? Com o salário a ser pago, com a manutenção de tudo. Com tudo o quê, falei, do que está falando? Tem certeza de que não é um engano? Então a voz repetiu o nome do velho e nosso sobrenome. Corretamente, incluindo a inflexão russa, as consoantes coladas umas nas outras, se não me engano com sotaque da região das montanhas Altai, de onde o velho disse ter vindo. Mas pode ser que a falta de sono e as anfetaminas me confundissem, que o sotaque fosse um sotaque qualquer. A voz perguntou o que estava acontecendo com o velho, por que ele não atendia mais os telefonemas. É a demência, falei. Vinham ligando na mercearia, mas o contato havia sido interrompido e a culpa não era deles. Eles tinham responsabilidades a zelar. Precisavam falar com o velho. Era urgente. Os pagamentos tinham sido cancelados fazia seis meses. Não sabiam como proceder com as transferências bancárias a serem efetuadas. A administradora estava impedida de administrar. Os recursos não recorriam. Desse modo não era possível seguir com a manutenção de tudo. O velho precisava orientá-los sobre como proceder. Estavam perdidos. Isso nunca acontecera. Perdidos. Os suprimentos financeiros estavam esgotados. A energia elétrica seria cortada, e então, o que aconteceria? E a alimentação? Não sabiam como estavam se virando, a voz disse. Quem está se virando?, falei, tem certeza de que chamou o número certo? Temos certeza, a voz disse, quer dizer, não temos mais certeza de nada. De nada. Então a ligação caiu. O aparelho podia estar com defeito. Devia ser engano. Ou o serviço da empresa telefônica andava cada vez pior, o que não é improvável. Aquilo estava ficando meio repetitivo.

Na manhã seguinte deixei a caixa registradora com seus trocados aos cuidados do funcionário boliviano, ajudei o velho a se vestir, coloquei-o num táxi e seguimos até a agência bancária na vizinhança da Luz, na qual ele fazia suas movimentações. Ali ele recebia uma aposentadoria ridícula e mantinha as economias da mercearia, cada vez mais escassas. Como nos últimos meses não sobrava tempo ou mesmo cabeça para cuidar das contas, eu ainda não passara na agência para medir o diâmetro do rombo. Após ter mergulhado na tigela de leite do gato, a manhã tinha sido estendida para secar e a cidade parecia revestida por uma película branca, quase imperceptível. Ao entrarmos no prédio, procurei o antigo gerente, um gorducho mais ou menos de minha idade que eu já havia consultado em ocasiões passadas. Estava aposentado fazia um tempão, segundo informou a mocinha da recepção, enquanto se encarregava de apontar o novo gerente, um cara que não devia ter vinte anos. Acomodei o velho na poltrona ao lado e observei os giros moles que ele dava com o pescoço numa tentativa vaga de reconhecimento do ambiente. Luzes fluorescentes aumentavam o aspecto leitoso das pessoas na fila do caixa. Um zumbido no teto chamou minha atenção. Vinha de uma mariposa presa na lâmpada em forma de tubo. Como teria ido parar lá dentro? Depois de cruzar as mãos sobre a bengala, o velho fixou a barba mal aparada do gerente. Havia um grão de cereal nela. Perguntei sobre a conta do velho. O gerente fez um muxoxo ao examinar a tela de seu computador, deu dois cliques, pediu que aguardássemos, levantou, fez duas piadas sobre o time de futebol de seu vizinho de mesa, caminhou até a impressora, olhou o tempo, coçou o saco enquanto verificava o celular, tirou meleca do nariz, pegou o papel e retornou à mesa. Olha aí o extrato, falou, a coisa vai mal, hein. Quis saber se existia alguma operação ou débito automático agendado. O gerente apontou uns códigos que indicavam contas de água e de luz e uma única transferência a ser feita todo primeiro dia do mês. Nada mais. Estava em nome de Administradora de Recursos Humanos Rosenberg S. A. O gerente não tinha qualquer informação sobre a administradora além do endereço, ou o motivo do valor do depósito, uma soma bastante alta. Mas não está sendo paga faz seis meses, pois a conta não tem liquidez, ele disse, olhando para o velho, que continuava em sua surda mudez a observar o grão de cereal branco na barba escura do gerente. Aqui o endereço, o gerente disse, estendendo o papel. Logo atrás de nós, uma fila de clientes insatisfeitos se formara. Dava para ouvir reclamações acerca dos serviços do banco, a espera, esse velho que não se mexe, o desrespeito, cliente preferencial é um saco, o completo desinteresse dos funcionários, estou atrasado, preciso pegar filho na escola, um absurdo, vou fechar minha conta, hoje não chego a tempo em meu compromisso, acho que vou ter um treco, ainda mato alguém. Reclamações repetidas dia a dia por clientes bancários em todas as filas da cidade que são esquecidas no exato instante em que cada um deles sai pela porta da agência e é engolido por outros problemas. Multipliquei os zeros do extrato, enquanto olhava o velho cair no sono. Que inveja. Menti ao gerente, dizendo que em breve resolveria a questão do saldo e a dívida do cheque especial, então nos despedimos com um aperto de mãos. Não o avisei do grão de cereal na barba.

Na calçada, vi um bisonte imóvel. Pessoas passavam ao largo dele como se fosse natural um animal daqueles estar ali, no centro de uma cidade sul-americana, e ainda vivo, quando foram praticamente extintos. A senhora cheia de sacolas de compras nas mãos se aproximou do bisonte, mas preferiu dirigir sua atenção à cadeira de espaldar ao lado. Havia um gramofone em cima da cadeira. Só então percebi que o bisonte estava na vitrine de um antiquário que fica em frente à agência bancária. Não estava vivo. Tinha tamanho natural, e seu pelame negro acima do pescoço parecia soprado pelo vento das pradarias do Texas. De início, pensei que fosse alucinação. Mas não era. Um grande ventilador fazia sua crina se movimentar. Conduzindo o velho pelo antebraço num ritmo não muito aconselhável para alguém em sua condição, entramos na loja. Quis muito acreditar no que via, esfreguei as pálpebras com os nós dos dedos para desanuviar a manhã esbranquiçada dos olhos. Perguntei ao vendedor se o bisonte era de verdade. O vendedor disse que sim, claro, é empalhado e veio direto do Oeste norte-americano, muito raro, pertenceu aos comanches etc. Mirei na cara do vendedor para descobrir se ele pretendia me enganar ou algo assim. Não pareceu suspeito. Esse bisonte aí é da época do Quanah Parker?, falei ao vendedor. Quanah quem? Ah, claro que sim, foi dele, na verdade, vivia no quintal da mansão dele lá no Oeste americano etc., sim, senhor, que mansão era aquela do Quanah, hein, ô, este aqui, meu amigo, era o último bisonte do faroeste americano, daí foi pro circo, vendido ao Buffalo Bill, sim, senhor, o próprio, aquele do gibi, depois babau: ficou extinto etc. Este bisonte — que nome esquisito, né? — é uma raridade, e está com preço de ocasião, ele disse, vai aproveitar? Sim, falei, impressionado com meu próprio destemor, vou levar agorinha mesmo. Enquanto parcelava a compra no cartão, notei que tinha me distraído e o velho desapareceu. Vasculhei o interior da loja atulhado de velharias e (afinal, o antiquário era um lugar bastante adequado para o velho ficar) não o encontrei preso às teias de aranha. Então saí depressa para a rua. Ele estava parado na calçada, observando animais que iam se formando nas nuvens e se metamorfoseavam em gente.

O vento da pradaria despenteava com força a franja do bisonte, que mesmo assim mantinha os olhos bem abertos, sem piscar com o incômodo. Seu movimento parecia um bocado desigual e aos trancos, pois não dobrava as pernas nem meneava o pescoço como bisontes costumam fazer quando estão em movimento. Isso não impedia que os passageiros abarrotando o ônibus no semáforo em frente à praça Julio Prestes esticassem seus pescoços magros pelas janelas para grudar os olhos nele, todo amarrado ao capô do táxi em que estávamos, e até os viciados em crack esparramados pela praça, normalmente alheios a qualquer interferência em sua realidade imediata, erguiam-se do chão e ululavam à nossa passagem. Envoltos em cobertores e seminus, deixando para trás seus cachimbos de lata, lembravam comanches depois de uma batalha perdida. A guerra deles estava apenas começando, porém, e não era difícil prever seu final. Caubóis os perseguiam, talvez fossem xerifes, desta vez disparando balas de borracha e sem usar estrelas de prata no peito. O semáforo abriu e os noias saíram em nossa perseguição. Queriam seu bisonte de volta. Pelo espelho retrovisor, acredito ter visto que alguns deles nos apontavam arcos e flechas. Por sorte não carregavam rifles de repetição. Então, saindo da ruela detrás da praça, surgiram cavalos a galope. Seria a cavalaria? Sobre as celas, PMs vindos do quartel da avenida Rio Branco vibravam cassetetes nas costas dos viciados, que deixavam cair suas armas e iam tombando no asfalto, pisoteados pelas ferraduras. Sob certo aspecto, não havia oposição entre policiais e viciados ali, não como no passado, entre soldados e comanches. Exceto pelos cavalos, todos obedeciam a alguma ordem insensata que logo deixaria de vigorar. No dia seguinte, tudo voltaria ao normal, menos para os cavalos, que continuarão a ser montados como sempre foram. Então o táxi estacionou diante da mercearia, e libertamos o bisonte das cordas que o mantinham em pé sobre o capô. Entrei na loja para ordenar que o funcionário me ajudasse a carregá-lo, e qual não foi meu pavor ao ver o boliviano multiplicado em vários bolivianos. Havia um detrás da caixa registradora, outro substituindo preços nas mercadorias, agachado entre as prateleiras, mais um com o espanador em frente ao graneleiro e um outro que varria o chão e um que lavava o toalete. Eu tinha razão, desde o início, não era só um boliviano, mas vários. Soltei um berro de puro pânico, e os bolivianos excedentes desapareceram porta afora. Fiz um sinal ao que restou, o da caixa registradora (parecia ser o boliviano original), e ele me ajudou a carregar o bisonte até a frente da loja. Enquanto bufávamos com o peso, pude examinar bem de perto o rosto matreiro dele, a cara de índio dele, e creio ter identificado um risinho de escárnio ou algo assim. Não entendo os bolivianos. Depositamos o bicho em frente à coluna que fica entre as duas portas de correr. Deveria ser o nosso guardião. A mercearia estaria protegida com o bisonte ali. Ninguém mais ia entrar ou sair sem meu conhecimento. No entanto, esses planos se mostraram equivocados desde o princípio.

Devolvi a chave ao gancho do lado da porta. O velho demonstrava estar esgotado após tanta atribulação. Conduzi-o ao banheiro e preparei compressas com toalhas quentes. Lavei seus pés, enquanto ele se apoiava em minha cabeça com as duas mãos, fazendo pressão com os dedos como se avaliasse de que material era feito o meu crânio. O velho fez suas necessidades, ruidosas como um bombardeio noturno à Londres sitiada num filme de guerra antigo a que assisti. Olhava para mim ao gemer no trono e o seu olhar dizia, mas quem é esse que fica aí encostado no batente da porta sem dizer nada enquanto eu cago? Depois de limpá-lo, apliquei as compressas em sua nuca e nos ombros e ele cochilou um instante. Comparei a pele interna de meu antebraço com a dele. Sob a luz fraca do banheiro tinham a mesma cor, eu estava cada vez mais branco, quase igual ao velho. Eu tinha certeza de que estava ficando branco, que estava ficando igual ao meu pai, igual a alguém. Fui obrigado a carregá-lo no colo até a cama. Como pesava. Talvez seu sono o deixasse mais pesado, mas como podia ser se sua cabeça aparentava estar vazia? Com o que sonharia, bigornas de uma tonelada? De qualquer modo, eu devia me certificar de que o velho permaneceria adormecido a noite toda, pois precisava ir para a delegacia. Foi difícil despertá-lo. Quando aconteceu, servi o copo d'água e o comprimido habitual, que ele analisou, meio desconfiado. Como em todas as noites, o velho perguntou o que era aquilo, e do mesmo modo se satisfez com a resposta. Depois que coloquei a fralda nele, pediu que eu lhe contasse histórias. De animais, ele disse, aquelas. Como podia lembrar das histórias se não lembrava de mais nada? Tornei ao "caso do passeio noturno". À criatura e à sra. X. Ao taxista e aos seus rottweilers. Ao entregador do mercado coreano. Nocturama. Não extraía nenhuma moral daquela fábula, feito uma criança que se aproxima dela sem medo, sem ver nela nenhum ensinamento daninho. Um Esopo estelionatário. Era mais bem o oposto, e o mundo assim se restituía de equivalência, não havendo mal nem bem, guerra ou paz, todos ostentando a mesma cor de pele ao sol, índios e xerifes, viciados e policiais, ninguém matando ou explorando ninguém. Evidentemente, a única diferença permanecia no papel cumprido pelo cavalo, o de cavalgadura. A não ser por isso, um mundo sem graça, o lugar inconsciente de crianças e velhos dementes. Ele demorou um bocado a adormecer. Mais tarde, de madrugada, meio comovido pela atenção que o velho tinha dedicado às minhas histórias, enchi o copo de uísque, tomei dois Inibex e fiquei um tempo observando pela janela o bisonte diante da loja térrea sob o foco de luz rodeado de mariposas. Parecia muito sozinho lá embaixo, sem o restante da manada. Estava órfão, o quadrúpede. Resolvi carregá-lo para cima. A subida pela escadaria com o bicho nas costas não foi nada simples. Coloquei-o sobre o tapete no centro da sala de estar. Sua presença me confortou, e acreditei por um segundo que ele poderia vigiar o sono do velho. Impedir que saísse no meio da noite por aí, a vagar pelas ruas do bairro, e acabasse se perdendo. O corpo dele soltava uma fina camada de poeira sobre o tapete. Lembrei de seu nome científico: *bison bison bison*. Com que dinheiro eu ia pagar aquilo? O tapete verde lembrava as pradarias do Texas. *Bison bison bison*. Achei que ele bem poderia pastar por ali.

4. Mundo animal:
Porfíria

1.

Quando os rottweilers atingiram a perfeição na caça aos felinos no bosque próximo ao lago, o taxista percebeu que necessitavam de novos oponentes. Os cães não levavam mais nem um minuto para alcançar os gatos, mesmo quando eram soltos de uma vez, conforme afirmou no depoimento. Parecia que tinham desenvolvido um senso coletivo de percepção da caça, e cada um dos três cães selecionava a vítima a ser perseguida assim que eram libertadas do saco de estopa. Essa escolha nunca coincidia, e os cães disparavam cada qual para o lado do alvo escolhido. Provavam a cada noite de lua cheia que se transformaram em máquinas predadoras, um só cão de doze patas e três mandíbulas comandado pelo taxista. Eram de uma objetividade letal em seu arranque, e o taxista se sentia muito orgulhoso deles. Tratava-se de uma sensação que nunca sentira, não muito distinta da experimentada por um técnico esportivo em relação a seus atletas, confessou. Isso levou o taxista a considerar qual deveria ser o próximo passo da educação dos cães. Os gatos já tinham chegado ao seu limite. Os rottweilers ansiavam por novos desafios. Eles precisavam de um animal maior para perseguir, mas o taxista não fazia ideia de qual animal poderia ser. Poderia ser outro cão, mas duvidava poder encontrar algum que sozinho fizesse frente aos rottweilers. Seu orgulho beirava a soberba. Ele então procurou pelos pequenos sítios nos arredores das estradas vicinais que percorria com seu táxi nas horas vagas. Foi assim que descobriu a criação de carneiros. Durante algum tempo o taxista rondou os currais do rancho, observando a agilidade dos animais enquanto se reproduziam ou lutavam entre si para conquistar as fêmeas. O taxista considerou que aquela era a solução ideal. Numa noite em que se sentia particularmente destemido, o taxista invadiu o cercado onde pernoitavam os animais. Um impetuoso macho com cornos espiralados havia chamado sua atenção.

Antes do passeio no parque Nocturama, a última tentativa de a sra. X sair de casa acompanhada pela criatura aconteceu na noite de Natal de dois anos atrás. Era época das competições de iluminações decorativas que acontecem entre os bairros, afirmou em seu depoimento. No fundo, aquilo nada tinha a ver com o espírito natalino, e a sra. X sabia disso melhor do que ninguém. Tudo não passava de uma disputa pelo prêmio concedido pela prefeitura à melhor decoração de Natal. Uma verdadeira guerra natalina que conflitava com o nascimento de Nosso Senhor. Uma reles disputa por dinheiro, corrupção dos valores cristãos. Contudo, fornecia a desculpa ideal para um passeio. Afinal, o que ela poderia inventar para convencer a criatura a sair à rua? Aquele era um bom motivo. Se fosse em outros tempos, na sua infância, uma época tão distante em que as vitrines das lojas permaneciam iluminadas até tarde da noite nas ruas do comércio, e os manequins tão distintos em seus vestidos de festa, elas poderiam passear em paz e admirar os arranjos assim como os casais de namorados de então. Mas agora as pessoas temiam a violência, e migraram para os shoppings. Ela nunca sequer considerou levar a criatura a um lugar daqueles, claro, apesar de alguns aceitarem a presença de animais. Seria uma distração que ambas adorariam, sem dúvida, e poderiam comprar as roupas novas de que necessitavam. Não passava de um anseio bobo ou então, quem sabe, de um pesadelo concreto. Uma séria contravenção de sua parte, ela pensava. Afinal, seu contrato com a empresa administradora exigia que não saíssem de modo algum. Naquela noite as duas caminharam pelas ruas de Higienópolis e testemunharam centenas de milhares de luzinhas piscando e se confundindo com estrelas e satélites no céu. A criatura nunca tinha visto nada semelhante. Pessoas passavam e estranhavam um bocado aquela figura toda encapotada numa noite tão quente, mas era tarde e não havia tanta gente assim na rua. Então a sra. X comprou dois cachorros-quentes numa perua de esquina e as duas se acomodaram tranquilas no primeiro banco vazio que encontraram sob a sombra dos pinheiros da praça Buenos Aires. Estavam famintas, depois da caminhada. A criatura se lambuzou de ketchup, e sua boca parecia coberta de sangue. Não tardou e apareceu uma velha senhora que alimentava os gatos da praça. Depois de reclamar que seus filhotes estavam sumindo, pois alguém os andava envenenando, a velha disse algumas palavras gentis e, aproximando-se, levantou inesperadamente a ponta do capuz da criatura para ver melhor o seu rosto. A partir daí, tudo deu errado. A velha se assustou com o que viu. Deu um grito. Outras mulheres que alimentavam gatos acudiram para conferir o que acontecia. Em poucos segundos se formou uma pequena multidão. Todos apontavam para as falanges amputadas dos dedos das mãos da criatura, que havia retirado as luvas de couro para comer e também acabou se assustando. O ketchup, o sangue. Alguém disse que aquilo tinha comido os próprios dedos. A sra. X então ergueu a paciente no colo pela primeira vez desde o dia em que a conheceu, e com dificuldade atravessou o portão da praça, enquanto a criatura ocultava a chaga aberta da testa em seu ombro. Nesse instante, ao sentir outra vez um forte odor de flores, a sra. X cogitou que ela talvez fosse uma santa.

Depois de se integrar ao grupo de jovens da paróquia de São Kim Degun, o entregador começou a ser isolado pelos colegas do mercado coreano. Assim como ele, todos provinham de famílias pobres e o acusavam de trair suas origens. Diziam que era um bajulador de ricos, um interesseiro. Não adiantou muito quando o rapaz inventou que ir à igreja era uma exigência de sua nova namorada. Os garotos caíram na risada, e começaram a isolá-lo. A dar-lhe um gelo, como se diz ou como se costumava dizer entre adolescentes. As coisas não mudaram tanto assim neste mundo. Eu mesmo senti muito isso em minha pele fulva. Sozinho entre duas turmas às quais não pertencia, o entregador começou a se sentir infeliz. Na paróquia, havia chegado a temporada de ensaios dos cânticos a serem executados nas missas com a banda, e o entregador, além de não tocar nenhum instrumento, era muito desafinado. No fundo, ele não suportava aquelas músicas meio gospel meio sertanejas com coreografias de *k-pop*. O entregador preferia ouvir metal em seu mp3 player, conforme testemunhou. Mas, de alguma forma, já o satisfazia a proximidade da garota pela qual se apaixonou ao dividirem o púlpito enquanto selecionavam versículos da Bíblia. Ele podia admirar de perto aqueles dedos longos e tão brancos virando as páginas com uma prática que ele simplesmente não tinha. Entre discretas cotoveladas entre si, os outros rapazes do grupo de jovens acusaram o interesse excessivo do entregador pela garota. Então, quando o ensaio terminava e todos iam embora em seus carrões, o entregador seguia sozinho para o ponto de ônibus. No caminho, estacava diante do casarão da rua Talmud Thorá e ficava observando o teatro de sombras nas janelas, única testemunha da vida que acontecia ali dentro enquanto o restante do bairro adormecia. Ele podia observar o extremo zelo da sra. X em sua faina noturna. O sobe e desce de escadarias com intuito de atender à paciente. Às vezes a sra. X a erguia no colo com tamanha delicadeza que ela parecia estar prestes a se quebrar, conforme afirmou em seu depoimento.

2.

O casarão da rua Talmud Thorá começou a atrair o jovem entregador do mercado coreano feito um parque de diversões aceso em noites de domingo. Quando saía de bicicleta para atender pedidos, ele se demorava a observar suas janelas, à espera de que a criatura aparecesse. Durante o dia, porém, ele só conseguia ver cortinas cerradas e nada mais, o casarão parecia arrodeado de um silêncio incomum que o isolava dos ruídos do comércio do bairro. Era como se o lugar estivesse mergulhado num sono morno e profundo, e talvez fosse isso que o atraísse àquele endereço no meio da tarde. Na rua existiam outros sobrados não muito distintos, mas havia algo estranho naquele, embora o rapaz não soubesse dizer o quê com exatidão. Certamente por ficar fechado durante o dia todo e, quem sabe, pelo fato de suas paredes, ao contrário de outras casas da rua, não receberem tinta desde a fundação. O entregador notou que os legumes na cesta que levava na dianteira de sua bicicleta começavam a se desmilinguir e a ganhar um estranho aspecto alienígena, adquirindo tons verdes escuros e assustadores. Então, quando ia dar a primeira pedalada, percebeu os judeus que vira no teatro abandonado. Os dois homens se aproximavam. De início, o entregador imaginou que ambos caminhavam em sua direção, e quase saiu correndo ladeira abaixo. Mas, para sua satisfação, eles tocaram a campainha do casarão e aguardaram um instante até serem atendidos, daí entraram. O entregador não pôde ver quem atendeu a porta, mas imaginou que se tratasse da sra. X. Os dois homens permaneceram cerca de meia hora no interior da residência, de acordo com o depoimento do entregador, e esse tempo foi mais do que suficiente para arruinar por completo os legumes de sua entrega, o que lhe rendeu desconto do salário, além de uma reprimenda e tanto do patrão, que ameaçou despedi-lo.

Com o episódio da propriedade rural, o taxista descobriu que capturar gatos vadios no pátio da fábrica abandonada era muito mais simples do que fazer o mesmo com um carneiro macho. Todo lanhado, entretanto, depois de algum tempo conseguiu dominar o bicho e sedá-lo. Então o ajeitou como pôde no porta-malas. Foram necessárias duas semanas para que o carneiro se recuperasse dos ferimentos autoinfligidos no interior exíguo do porta-malas onde ficou preso, pois o taxista calculou mal a dose de tranquilizante e o animal despertou no meio do trajeto. Assim que o taxista soltou o carneiro no terreno dos fundos da fábrica, os cães começaram a latir. Seus uivos e latidos prosseguiram ao longo dos dias em que o carneiro vagou solto pela fábrica, livrando o pátio das ervas daninhas. Como gostaria de vê-lo recuperado em breve, o taxista comprou suplementos alimentares em uma loja de produtos veterinários. Curioso quanto à destinação dos alimentos, o atendente perguntou que tipo de bicho ele alimentaria, mas não obteve resposta. Com isso, o carneiro se recuperou e logo exibia o antigo vigor observado pelo taxista na propriedade rural. Devia ser um campeão de feiras agropecuárias ou algo assim, cogitou em seu depoimento, talvez um reprodutor. Era, sem dúvida, um animal valoroso. Na noite da caçada ao carneiro, o taxista teve trabalho. Como seria impossível levá-lo e aos três rottweilers numa única viagem, foi obrigado a levar o carneiro antes. Depois da estada do bicho no pátio da fábrica, tinha conseguido se aproximar dele sem maiores dificuldades. Naquela noite, laçou-o e sedou-o, ajeitando-o outra vez no porta-malas. Depois, dirigiu até o bosque próximo ao lago. Lá, retirou o carneiro do automóvel e amarrou-o em uma árvore. O local era ermo, e ele não acreditava que alguém poderia surgir nas imediações enquanto buscava os cães. O tempo dedicado ao retorno somado ao novo trajeto da fábrica até o bosque não ultrapassaria uma hora. Havia, claro, a possibilidade de um animal selvagem encontrar o carneiro amarrado e indefeso. Mas mesmo isso era improvável. Fazia muito tempo que os grandes predadores estavam extintos naquela região, ideal para o treinamento em meio à mata. Os cães precisavam conhecer um ambiente semelhante ao do Nocturama. Então o taxista foi buscar seus rottweilers, que o aguardavam, excitadíssimos. Ao se instalarem no banco traseiro do automóvel, porém, os três ficaram silenciosos. Pareciam adivinhar a diversão que os aguardava. Vistos pelo retrovisor, não passavam de três sombras cujos olhos brilhavam no escuro, e seus dentes brancos e afiados refletiam as luzes dos postes que passavam. Pedestres que porventura os vissem poderiam perfeitamente confundi-los com crianças.

I EXPOSIÇÃO MUNDIAL DE RETRATOS DO LEOPARDO-DAS--NEVES – *episódio três, no qual um jovem e bravio leopardo-das-neves, insuflado pela voz humana, dá início à sua guerra contra seus inimigos, os cães.*

Era uma vez um leopardo-das-neves que, contra todos os prognósticos, se apaixonou pela voz humana. A reboque de uma tribo nômade, ele abandonou a montanha onde nascera e se habituou a rastejar entre a vegetação rala da estepe para não ser localizado. O leopardo-das-neves se alimentava de restos de comida deixados para trás pelos homens do acampamento e de pequenos animais que por ali viviam em abundância, como lebres e outros roedores. Seu esforço para ouvir o canto da mulher se redobrou na manhã do enterro do filho dela. Ao incinerarem o corpo da criança, a voz da mãe se elevou acima da fumaça e das nuvens, despedaçando o coração de todos os presentes, inclusive o da fera. Ao ouvir aquele som, o leopardo-das-neves de imediato admitiu a inegável superioridade humana diante dos outros animais. Apesar de toda a fragilidade física e moral daqueles pobres seres quebradiços e de humor instável, eles podiam cantar com uma melancolia extraordinária. Nada fazia frente à sua tristeza. Aquele canto era uma afirmação de beleza incontestável, superior à infinitude das montanhas Altai, de onde ele vinha, e maior que a velocidade dos ventos e o brilho do sol e a invencibilidade das flores. O leopardo-das-neves estava atado àquela mulher e à sua voz. Contudo, chegou o verão e os humanos desfizeram acampamento. Entre lágrimas que ainda não haviam secado inteiramente e a tragédia da perda, a mulher desmontou sua *barraca e instalou os pertences da família no lombo de uma mula. E então a tribo nômade partiu. Aturdido, o leopardo-das-neves não teve alternativa a não ser segui--la. Abandonou a paisagem russa, creio, da taiga à qual pertencia desde sempre, sem pestanejar, mirando pela última vez o pico da montanha onde tinha nascido, lá longe. A travessia da estepe foi o desafio mais difícil de sua vida. Os rigores do sol e da tundra ressequida. Nossa, como foi difícil. Não havia o que comer, e os restos deixados pelos humanos eram disputados com a matilha de cães da tribo. No trajeto, o leopardo-das-neves estraçalhou diversos daqueles animais inferiores e ruidosos cujos grunhidos representavam o extremo oposto do que era a voz humana. Esfacelou suas mandíbulas com patadas e os devorou, quando não conseguiram escapar. Odiava os cães, pois, ao contrário das panteras, eles atacavam seus inimigos não em busca da carne, mas dos ossos. Aqueles pobres animais viam a grandiosa Terra como um Grande Osso sem tutano ao qual necessitavam alimentar com mais fósseis, e por isso lutavam contra o leopardo-das-neves. Desprezavam sua carne e queriam apenas sugar sua espinha dorsal como se fosse um picolé de uva. Mas não foram páreo ao leopardo-das-neves. Não mesmo. A guerra contra os cães foi a primeira de sua vida e também a despedida da infância.*

3.

Ao planejar o passeio noturno ao zoológico, a sra. X sabia que aquela seria a última vez que a criatura veria a lua. Podia antever o seu destino, pois estava em suas mãos. Ela havia planejado tudo. A sra. X nutria verdadeira obsessão pela leitura das hagiografias, confessou em seu testemunho. A vida dos santos era um tema fabuloso que nunca a cansava. Assim como a pobre criatura, outros seres abençoados sofreram com terríveis enfermidades. Santos leprosos, como Damião de Molokai, Adolfo de Osnabruck ou o rei Balduíno. Ela lembrou as palavras de Jó: "Se recebemos de Deus os bens, não deveríamos receber também os males?". Mas antes só existira uma santa com doença semelhante à da criatura. Chamava-se Porfiria, assim como a doença, e nunca será beatificada pelo Vaticano, pois foi esquecida, embora seja adorada pelo povo. Era negra, viveu no interior de Minas Gerais no século XVII, e foi adotada por irmãs carmelitas que a criaram. Porém, antes de chegar ao convento em Ouro Preto, perambulou pelas montanhas e pelos descampados. Caminhava somente à noite, pois não suportava a luz do sol. Dormia em grutas escuras durante o dia. Não falava nenhuma palavra, mas se supunha então que era órfã, talvez a filha de alguma família de escravos fugidos que a criou no mato, sem qualquer contato com a civilização. Pela altura, devia ter dez ou onze anos, mas sua aparência indicava idade muito superior. Tinha a pele negra coberta por feridas purulentas e cicatrizes que nunca se fechavam. Seus cabelos eram bastos e de fios grossos esparramados por todo o corpo, com apenas alguns fios esparsos distribuídos pela cabeça enorme. As falanges dos dedos das mãos e dos pés haviam sido amputadas, segundo consta por ela própria, devido às dores que sentia. As freiras a descobriram quando estava prestes a morrer nas mãos da população, que a encontrou nos rochedos que circundavam a cidade. Queriam lançá-la à fogueira, acusando-a de ser o monstro que vinha trucidando vacas e porcos da região cujos corpos foram encontrados exangues. As freiras conseguiram salvá-la da fúria dos camponeses e a esconderam num mosteiro das montanhas no qual criavam animais. Lá, distante da vista dos ignorantes, procuraram tratá-la. Nesse lugar recôndito, Porfiria viveu acompanhada apenas por uma jovem noviça, que cuidou de seus ferimentos. Impressionada pela resistência que as feridas apresentavam ao seus cuidados, a noviça se apavorou. Um dia, ao levar Porfiria à bica d'água que havia nas proximidades, viu que a criança começou a gritar assim que teve o corpo exposto aos raios solares. Nesse dia, ela perdeu parte das extremidades das orelhas, o nariz e as pálpebras, restando sobras de pele incinerada. Em poucos dias, seu corpo apresentou horríveis ulcerações como nunca antes a noviça tinha visto. Depois do ocorrido, a criança recebeu emplastros de ervas e de banha de porco e começou a trabalhar no campo somente à noite. Ademais, a presença de Porfiria no sítio suscitava uma estranha reação das bestas, que tiveram seus hábitos diurnos invertidos e passaram a tresnoitar, sem nunca dormir. No crepúsculo, quando abriam a pesada porta de madeira da manjedoura que lhes servia de dormitório, jaziam vacas, porcos e galinhas imóveis em frente a casa como que hipnotizados. A produtividade no sítio aumentou de modo extraordinário. Vacas davam leite em profusão, galinhas botavam ovos às centenas e as bestas de carga ganhavam contornos de verdadeiros paquidermes. Aquela sideração dos animais parecia apavorante aos olhos da noviça. Alguns deles foram encontrados mortos nas imediações. As mortes pareciam fazer parte de um sistema de compensação, no qual grande parte dos animais crescia e produzia anormalmente, enquanto outros, os deficientes, eram encontrados exangues nas ravinas com a garganta dilacerada. Os ossos saltados das carcaças ressequidas e a rigidez das pálpebras abertas indicavam que ao morrer os animais estavam exauridos pela insônia. Não se sabe se esses fenômenos ocorreram de verdade, assim como se Porfiria na realidade existiu. Seus restos não foram encontrados na igreja matriz de Antônio Dias, em Ouro Preto, onde se encontra sua lápide. Muito recentemente, ao abrirem o sepulcro para realizar a autópsia que determinaria a enfermidade da qual padecia, não encontraram seus ossos. Santa Porfiria ainda é adorada por criadores de animais, que sempre a invocam em nome da fertilidade, mas parece nunca ter existido. Ela desapareceu dos anais da Igreja Católica.

Em meio ao Nocturama, a sra. X percebeu que a lua era aos poucos encoberta por nuvens escuras. Não havia previsão de chuva para aquela noite, ela teve o cuidado de verificar, mas ainda assim o céu indicava que chegaria uma tempestade. Levantou-se da pedra onde descansava na borda da mata e procurou pela criatura. Por um segundo se sentiu mareada, e só então se culpou pela breve distração. No entanto a criatura estava atrás dela, em total quietude, observando absorta uma área qualquer do parque na direção da jaula do leopardo-das-neves. Tinha comido o sanduíche inteiro, para satisfação da governanta, e parecia ouvir algum ruído indistinguível muito distante, ou então apenas admirava os efeitos do vento nos ramos das sibipirunas. A sra. X tocou o ombro direito dela e então a criatura se voltou, como se despertasse de um sonho. Exibia os dentes. O sorriso atemorizou a sra. X, que rapidamente interpôs seu corpo entre a criatura e o olhar das pessoas do grupo, fingindo limpá-la com um lenço. A enfermidade tornava os dentes da criatura fluorescentes, e ao sorrir na escuridão, brilhavam. Era um espetáculo curioso e de certa beleza, mas indesejável no momento, e a sra. X não gostaria de despertar suspeitas entre os integrantes do passeio noturno. Ela se agachou e ajeitou o capuz da criatura. Não fez isso a tempo, pois uma mocinha separou-se do grupo, atraída pelo brilho repentino de algo que parecia ser uma lanterna com mau contato, e, caminhando na direção das duas, relacionou o brilho aos dentes daquele ser encapotado que aparentemente sorria. Retornando à fila indiana depois de um pressentimento, ela nada disse ao namorado. Sua mão, porém, tremia ao tocar a dele. A sra. X então serviu suco para a criatura, que sorveu tudo de um só gole pelo canudinho, deixando a governanta satisfeita. Tudo ia correr bem, ela afirmou em seu depoimento, era isso que pensava então. Animada, a jovem veterinária exortou todos a retornarem à caminhada floresta adentro. Deviam seguir para as jaulas dos grandes predadores.

Enquanto o taxista retornava ao zoológico, o único som audível era o *Premier Nocturne*, que saía do automóvel em movimento pela pista. Todo o resto era quietude e mansidão. Observando os cães pelo retrovisor, o taxista pensou nos companheiros do ponto, no quanto suas vidas eram ordenadas. Tinham mulher e filhos. Roupa lavada. A rotina escravizante dos homens de família. O único movimento aleatório de suas existências era permitido pela profissão de taxista. A não ser por esse vagar sem direção pela cidade, se não houvesse chamadas, eles sabiam bem o que queriam. Ou, se não sabiam, disfarçavam muito bem. Filhos formados. Mulheres tranquilas, talvez idiotizadas por algum medicamento para a cachola ou pela novela da tv. Beber até o desfalecimento nos finais de semana. O campeonato regional de futebol no primeiro semestre do ano. O campeonato nacional de futebol no segundo semestre do ano. Amantes, uma ou duas, talvez. Tudo bem previsível. Não alimentavam nenhum interesse pela arte. Pela música erudita. Não faziam ideia de quem fosse Georges Bizet ou Éric Alfred Leslie Satie, muito menos que uma peça de teatro para cães exigiria determinado cenário, e que quando o pano abrisse, mostraria um osso. Alguns criavam cães em casa e (parecia inacreditável ao taxista) até gatos. Mas gostavam de animais domésticos pelos motivos errados. Com o passar do tempo, as mulheres ou os maridos percebem que o amor que sentiam um pelo outro no início do relacionamento terminou. Não é bem isso, nem sempre acaba, apenas muda. Deixa de ser só amor, e aos poucos vai se transformando em ódio, e assim prosseguem os casamentos. É aí que entram os animais domésticos. Servem apenas para ocupar o vazio entre os casais. Chegam na relação oferecendo grandes doses de amor incondicional. Quando o matrimônio é um caso perdido, o animal odeia o parceiro de seu dono. É assim. Sempre pelos motivos errados. Desprezam a capacidade musical dos cães. O seu ritmo. Não compreendem que fazem tudo por música. Que a matilha se movimenta em conjunto como se obedecesse a uma partitura. Não lhes ensinam isso, só lhes mostram a crueldade. Não reconhecem neles a violência como uma virtude absoluta.

4.

Naquela noite o entregador resolveu não voltar para casa. Depois da missa das 23 horas na paróquia de São Kim Degun, acabou perdendo o último ônibus ao se demorar enquanto assistia ao vaivém de silhuetas nas janelas do casarão. Isso o obrigaria a amanhecer na rua, então decidiu conhecer o casarão da rua Talmud Thorá por dentro. Mas não sabia como fazer isso. Tocar a campainha da frente e pedir à sra. X para entrar não lhe parecia plausível. Naquela tarde ele havia feito uma entrega no casarão. Nos últimos tempos o entregador percebeu que os pedidos tinham diminuído, quase parado. Então resolveu deixar de registrar os produtos, e ainda incluiu alguns mais. Não sabe explicar por que agiu assim. Como sempre, a governanta puxou conversa. Ele nem sempre se mostrava inclinado a conversar com ela, mas dessa vez foi diferente, e esbanjou o inglês aprendido ao ouvir bandas de metal. Explicou que ela não precisava pagar, pois o dono do mercado havia localizado um erro anterior de fatura, e ela tinha saldo a ser descontado. Pediu desculpas pelo equívoco. Interpretando aquilo como um mal-entendido linguístico, a sra. X desconversou, perguntando se ele tinha namorada. Era um rapaz tão simpático, afinal, não podia ficar sozinho. A sra. X então disse que tinha sido casada. Há muitos anos, ela falou. De repente a sra. X começou a se abrir com o entregador como se ele fosse algum conhecido. Parecia ter necessidade de falar com alguém, conforme alegou em seu testemunho. Mentiu para o rapaz. O entregador pensou que ela devia ser muito solitária, porém era velha. E ele, não. Provavelmente tinha muitos amigos. E uma namorada. Ele concordou com a governanta. Disse que sim, que gostava muito da namorada, e que ela era linda, talvez bonita até demais para ele, mas o trabalho lhe roubava todo o tempo. Gostaria de vê-la mais, porém nem sempre isso era possível. Ele aproveitou para perguntar se era mesmo verdade que vivia uma criança velha no casarão. Afirmou que todos no bairro diziam isso. O entregador, na verdade, já vira a silhueta da pequena criatura recortada na janela à noite, quando passava por ali a caminho de casa. Ao ouvir isso, a sra. X se calou. Ela mirou o entregador nos olhos e apenas agradeceu, estendendo a gorjeta. Depois entrou no casarão, fechando a porta. O entregador se sentiu constrangido. Por esse motivo não esperava que a sra. X atendesse, caso ele tocasse a campainha. É claro que ela não faria isso. Ele então deu a volta no casarão e pulou o muro dos fundos, conforme confessou. Precisava ver a criatura de perto de qualquer maneira e seria naquela noite. Ao conferir se não havia cão de guarda, o entregador descobriu uma janela basculante avariada que dava no porão. Forçando a maçaneta, conseguiu entrar. O cômodo estava escuro e ele podia sentir o cheiro das velharias acumuladas ali. Teias de aranha grudaram em sua cara enquanto tateava à procura da escada. Aquele cenário fez o entregador lembrar de um clipe de sua banda de metal predileta. Quando chegou ao patamar do piso superior, ele desligou o mp3 player e prosseguiu pelo corredor que culminava em outra sala escura, de onde vinha um tênue sinal de luz. Deviam ser velas acesas, pensou, e então sentiu um odor de flores muito forte. Ao lá chegar, viu a senhora acompanhada da criatura. Estavam de costas para ele e assistiam à TV. O entregador permaneceu escondido. De acordo com explicação dada pela governanta, elas viam pela décima vez a gravação do programa sobre o leopardo-das-neves que vivia no zoológico metropolitano. O animal perdera sua companheira e vinha apresentando diversas alterações de comportamento causadas pelo estresse, dizia o programa, entre outras informações que soaram absurdas ao rapaz. Então o celular dele tocou. Nesse instante a criatura se voltou na direção em que o entregador estava, mas aquele giro foi tão lento que parecia não ter final, tão brusco quanto o movimento dos ponteiros do relógio demarcando segundos, levando o entregador a fantasiar que, quando enfim a volta se completasse em sua direção, a criatura teria um rosto igual ao seu, o rosto de um rapaz coreano. Ele então partiu correndo de volta pelo caminho de onde viera sem nada ver, nem ao menos dentes refulgindo no fundo escuro de um capuz vermelho.

I EXPOSIÇÃO MUNDIAL DE RETRATOS DO LEOPARDO-DAS--NEVES – *episódio quatro, no qual um jovem leopardo--das-neves faminto e à beira da morte veste roupas humanas em sonhos e parte para novas terras.*

Era uma vez um leopardo-das-neves. Ao longo de dois meses ele se arrastou pelo deserto. Não desejava outra coisa a não ser continuar a seguir a voz humana pela qual se enamorou. Era de uma melancolia sórdida, aquele canto sem fim. Saía do interior de uma carroça encoberta na qual sua dona estava deitada, afogada em tristeza pela perda do filho morto pela doença. Para segui-la, o leopardo-das-neves enfrentou a matilha de cães que seguia a caravana. Como odiava aqueles escravos dos homens, aqueles sujeitos simplórios. Aqueles idiotas famintos. Ele próprio não podia se gabar de ter a barriga cheia. Mas não mesmo. Às vezes ele se assustava com os rugidos de seu estômago. Parecia que existia outro leopardo-das-neves em suas entranhas. Então rastejava entre as moitas e os arbustos ressecados pelo verão. Devorava os restos que encontrava. Lutava contra animais carniceiros. Comia ratazanas que não eram dignas de frequentar sua barriga. Mas o leopardo-das-neves necessitava delas, das ratazanas. Não lhe restava outra saída. No frio da noite ele ouvia seu leopardo-das-neves interior se divertindo com elas. Aquela voz humana que cantava era agora a sua única dona, e muito mais poderosa que a sua própria vontade. De vez em quando ele também ouvia, cada vez mais distantes, quase inaudíveis, as palavras de seu avô dizendo que ele se enganava e que seu erro lhe seria fatal, assim como se mostrou fatal o erro do próprio avô. Porém o leopardo-das-neves fingia não escutar nada e tapava os ouvidos. O inverno começou a dar sinais de sua chegada. O leopardo-das-neves pensou que talvez não sobrevivesse à primeira nevasca, de tão fraco que estava. Nada mais lhe importava a não ser a voz humana, a voz humana, a inigualável voz humana. O canto da voz humana acalentou suas primeiras noites geladas. E então a tribo nômade se aproximou de um vilarejo. Era um lugar conhecido pelo leopardo-das-neves de antigas histórias contadas por seu avô e por seus tios. Era o vilarejo dos caçadores de leopardos-das-neves. O jovem felino sentiu-se mais fraco. A comida havia rareado. Fazia dias que não encontrava nada para se alimentar, nem mesmo uma desprezível ratazana. Foi numa noite de ventania que surgiu a cobra, ele não sabia se em sonhos trazidos pelo vento ou se em realidade. Era a mesma víbora que o aconselhara a seguir a tribo nômade, que o convencera de que aquele era o seu destino. O leopardo-das-neves cogitou devorar a cobra, mas só de pensar nisso seu estômago embrulhou. Ele vomitou um pouco de bile e ouviu o que a cobra tinha a dizer. A cobra, porém, não lhe disse nada, e apenas o observou alguns instantes com uns olhos cheios de piedade. O leopardo-das-neves então desfaleceu. Em seus sonhos de pobre leopardo-das-neves, ele se viu aquecido pela fogueira no centro do grande círculo de carroças. À sua frente estava a dona da voz e ela cantava de um modo tão triste. Embora ambos se encontrassem iluminados pelas chamas, o leopardo-das-neves não podia ver o rosto dela, apenas a sua sombra consumida pela doença, sua sombra cada vez mais desmilinguida, cada vez menor e menor, até desaparecer. O leopardo-das-neves então retornou à sua floresta congelada. Passou dias sem comer, mas o que deixava seu âmago vazio não era bem a falta de comida, e sim a ausência da voz humana. Em cada pio de pássaro e em cada trovão a ribombar nos altos das longínquas montanhas do Altai, o leopardo-das-neves desejava ouvir o canto daquela mulher. Então, numa noite de nevasca, ele encontrou o corpo de um homem. Estava intacto em meio a uma clareira. Ao seu redor, tudo estava congela-

do. Havia restos de uma fogueira que não tinha sido suficiente para aquecê-lo. O leopardo-das-neves afinal pôde examinar bem de perto, olhos nos olhos, a expressão de um homem. Pareceu-lhe a coisa mais terrível que jamais vira. O homem havia sido congelado pelo sopro de gelo que a montanha havia lançado lá de cima sobre o mundo na noite anterior, um assovio dado por Altai que despencava dos picos e cumes e despenhadeiros, transformando tudo o que tocava em gelo. Por um segundo, o leopardo-das-neves pensou em tirar a pele daquele homem, vesti-la e retornar ao convívio da voz humana. Então ele se aproximou bem daqueles olhos azuis de gelo e percebeu que aquela não era a expressão de um homem, mas a face da morte. Quando despertou, o leopardo-das-neves estava em uma jaula. Tinha sido aprisionado pelos caçadores do vilarejo, que lhe serviam alimentos em profusão. Dali a poucas noites estava em uma estranha prisão flutuante, ainda maior que a jaula anterior. Tanta comida de nada adiantava, pois vivia enjoado e punha para fora tudo o que comia. Com ele viajavam outros animais. A prisão sacolejava sobre a maior quantidade de água que o leopardo-das-neves jamais sonhara ver. Era um navio que atravessava o oceano imenso sem nenhuma terra à vista na qual ele pudesse descansar o seu olhar, e durante as noites agora só lhe restava o murmúrio lúgubre das baleias.

5.

Aquela foi a primeira vez que o entregador pernoitou fora. Deitado num banco do Parque da Luz, ele pensava na criatura.

O que ela fazia de casaco e capuz dentro de casa? Por que usava luvas se não estava tão frio assim? Quase havia conseguido ver seu rosto. Mas o programa a que as duas assistiam na TV o assustou. Tinha uma trilha sonora repetitiva tão assustadora quanto o metal de que gostava. Agora, não lhe restava alternativa aquela noite a não ser dormir ao relento. O problema eram os noias e bandidos que perambulavam pela cidade. Seus pais passariam a noite preocupados. No entanto, seria impossível esperar o primeiro ônibus da manhã, ir até sua casa e retornar ao trabalho sem atraso. Decidiu que faria da seguinte forma: ele aguardaria o sol nascer, e então ligaria para a mãe. Inventaria uma mentira qualquer. Podia dizer que passou a noite com a namorada, por que não? Qual namorada?, sua mãe perguntaria. Ele aproveitaria a mentira para se gabar no trabalho para os colegas. Passei a noite com minha namorada, falaria. Era uma ótima desculpa. Sim, a decisão estava tomada. Naquela mesma noite, depois de passar a manhã e a tarde contando lorotas românticas, o jovem entregador foi ao encontro do grupo de jovens na paróquia de São Kim Degun. Como sempre, ninguém deu atenção a ele, a ponto de nem perceberem suas roupas amarrotadas de quem dormiu na rua. Depois de notarem seu interesse crescente pela garota, os rapazes do grupo deixaram de cumprimentá-lo. O entregador parecia não mais existir para eles. Cumpria suas incumbências orientado pelo missionário, mas não trocava nem sequer uma palavra com os outros meninos. As garotas também caçoavam dele, rindo de suas roupas de grife falsificadas. Mas o entregador só tinha olhos para a sua garota, e nada percebia. Enquanto ela lia ao microfone uma passagem de São Mateus, ele se divertia consigo mesmo, pensando no que ela faria se soubesse que havia passado a noite com ele. Durante a missa, ao notar o que acontecia com o entregador, a garota se apiedou dele: não concordava com tamanha humilhação. Achava que se comportar daquele modo não guardava nenhuma relação com a fé cristã. Ela então resolveu proteger o rapaz da sanha adolescente dos rivais. Chamou-o para ler os versículos em sua companhia. Cercou-o de cuidados. O entregador não acreditava na própria sorte: depois dos pesadelos que teve no banco do ponto de ônibus (algo a ver com destino errado e um carro sem motorista), aquela seria sua grande noite. Na primeira ocasião em que os dois ficaram sozinhos, enquanto os outros buscavam instrumentos musicais no depósito dos fundos do salão paroquial, o entregador reconheceu no brilho úmido dos lábios da garota o seu desejo de fazer sexo. Enquanto ela prosseguia a leitura do versículo, ele se descontrolou. Enfiou a mão no seio direito dela, enquanto a beijava e prendia sua cintura com o braço esquerdo. Segurou-a então pelo pescoço, tapou sua boca por trás e a arrastou até a sacristia. Lá, controlando as mãos dela com safanões, perdeu o bom senso de vez e lhe acertou um murro na boca, que sangrou em profusão. Então, enquanto baixava as calças, o entregador arrancou a saia e a calcinha da garota de um só puxão, de acordo com o depoimento dela. Deve ter entrevisto o brilho avermelhado de carne entre os pelos negros do púbis e quase morrido de felicidade. Nessa hora, ela soltou um grito espremido. Os rapazes, que plugavam suas guitarras nos amplificadores no salão ao lado, acudiram à sacristia, distribuindo chutes no entregador assim que perceberam o que acontecia. O entregador não resistiu, eram em número muito maior. Levou chutes nas costelas, que se partiram. Teve dentes arrancados pelos socos. Seu olho direito vai ficar com a visão comprometida. Preferiu não registrar ocorrência, assim como a garota, que não o denunciou por tentativa de estupro. O entregador do mercado coreano foi o único a atestar o depoimento da sra. X e a ter visto o casarão ainda mobiliado por dentro, daí sua importância para esta ocorrência.

6.

O taxista logo descobriu que carneiros iguais ao capturado da primeira vez não abundavam feito gatos por aí. Na quinta ocasião seguida em que tentou roubar outro foi alvejado pela carabina de um rancheiro de Atibaia, que não chegou a atingi-lo. O taxista chegou à região na tentativa de conseguir caça para seus rottweilers. Os criadores, porém, alertados pelo roubo anterior, incrementaram a segurança. O sumiço do primeiro animal, um reprodutor campeão de feiras agropecuárias, causou enorme desconfiança. Por uns tempos o taxista foi obrigado a recorrer aos já escassos felinos do pátio da fábrica abandonada. Os cães, todavia, demonstraram certo desinteresse. Na certa sentiam-se desmotivados, cogitou o taxista em sua confissão. E, enquanto exterminava todos os gatos da Zona Leste, elucubrava a visão que teve logo após seus cães estraçalharem um gato pela primeira vez. Nas madrugadas de meio de semana, quando não recebia muitas chamadas, começou a circular pelas ruas do centro. Pela Vila Buarque, pelos Campos Elíseos e por Santa Cecília. Voltas intermináveis no largo do Arouche. A paisagem era de putas e travestis nas calçadas escurecidas. Viciados em crack. Ele observava, tomava notas mentais, levantava dados. Reconhecia rostos e corpos. Certa noite, ao testemunhar o espancamento de um cliente mau pagador, concluiu que os profissionais do sexo eram demasiado unidos para o empreendimento que buscava. Mudou sua área de pesquisa e começou a circular pela avenida Rio Branco e mais acima, nas imediações da Cracolândia. Observou a dança dos corpos envoltos por cobertores malcheirosos. As chamas avermelhadas dos cachimbos improvisados. A polícia estava reprimindo o tráfico no centro da cidade. Mapeou os locais utilizados pelos noias para dormir. Começou a acompanhar um garoto, devia ter mais ou menos dezessete anos. Não se encontrava completamente deteriorado, mas ainda assim era bastante frágil. Acabou desistindo, pois considerou que não estivesse à altura do desafio. Então surgiu um homem mais velho na área. Era vigoroso, com uma longa barba acinzentada. Não tinha saída, por isso sucumbira à droga. Era violento. Roubava os mais fracos. Estuprou uma viciada do grupo. Tudo isso o taxista acompanhou da janela de seu automóvel estacionado nos recantos mais escuros. De lá podia ver o que permanecia iluminado. Parecia um cinema perverso. Aquele homem lutava nas ruas só por prazer. Decidiu que seria o velho morador de rua. Sequestrou-o numa noite em que dormia sob a passarela da rua das Noivas. Para isso, usou o mesmo anestésico que aplicara nos carneiros. O velho morador de rua, entretanto, pesava bem mais do que um carneiro. Era muito alto e tinha músculos rijos. O taxista escolheu bem. Jogou-o dentro do porta-malas e seguiu para o bosque próximo à floresta. Não havia tempo a perder. Assim como procedera com os carneiros, deixou o velho morador de rua amordaçado e amarrado a uma árvore. Pela quantidade de anestésico que lhe injetou, não existia o menor perigo de que acordasse. Depois disso, seguiu até sua casa nos fundos da fábrica abandonada da Zona Leste. Os cães começaram a latir quando ele ainda se encontrava no quarteirão anterior, a cem metros da casa. Quando as rodas do automóvel deslizaram pelos paralelepípedos da trilha estreita que levava à edícula, os cães elevaram ainda mais seu escarcéu. Eles sabiam. Aguardavam aquele instante. Seus latidos misturados à vibração dos músculos retesados e distendidos eram pura música. Não, não: tratava-se de uma verdadeira sinfonia, afirmou o taxista em seu depoimento.

Com seus ouvidos zunindo e estirado no piso frio da sacristia da igreja de São Kim Degun, as imagens do programa de TV visto pela sra. X e pela criatura em seu casarão se repetiam na memória do entregador do mercado coreano. Na noite anterior, procurando conter a respiração para não alertá-las de sua presença, ele acompanhara de seu esconderijo o halo de luz se esparramar a partir da tela pela sala escura. A voz grave da narração dizia que o leopardo-das-neves tinha sido capturado num vilarejo asiático próximo às Montanhas Douradas do Altai, na Rússia, e trazido para o zoológico de São Paulo. Era um animal raro e de difícil adaptação ao cativeiro. No zoológico o aguardava uma fêmea. Uma jovem veterinária era entrevistada no programa, e afirmava que eles ansiavam por aquela que seria a primeira reprodução de leopardos-das-neves em cativeiro de todo o mundo. De vez em quando o entregador criava coragem e esticava o pescoço para observar o comportamento das espectadoras. No entanto, elas permaneciam absortas, duas figuras espectrais recortadas contra a tela brilhante da TV. O narrador do programa prosseguiu, relatando o acontecido: a fêmea não havia recebido bem a chegada do macho e se isolou nos fundos da gruta localizada na área do zoológico destinada ao casal. Apesar dos jogos de sedução praticados pelo macho, que se entregou à tarefa desejada pela veterinária, ela não demonstrou nenhum interesse pelo parceiro de jaula. Em outro depoimento, a veterinária afirmava que o aprisionamento alterava por completo os hábitos dos animais, e era isso que devia estar acontecendo com a fêmea. Ela podia estar sofrendo de uma severa depressão. O macho, porém, a despeito do mau estado em que se encontrava ao chegar ao parque, com ferimentos e bastante subnutrido, em pouco tempo se recuperou. Para algumas pessoas que acompanharam as fracassadas investidas do leopardo-das-neves (apelidado por um biólogo debochado do parque de "enamorado-das-neves"), feito a jovem veterinária, por exemplo, aquela dança lembrava a própria vida. Para ela, que havia pouco desistira de um noivado infeliz, todo aquele sofrimento reproduzia à perfeição o fracasso inevitável do amor. A reportagem prosseguiu, e o narrador relatou com embargamento calculado e profissional a morte da fêmea. O quadro depressivo se agravou e ela deixou de se alimentar. Morreu cerca de seis meses após a chegada do macho ao parque. E animais se suicidam?, perguntou então o narrador de um jeito bem canastrão às espectadoras mudas, à criatura e à sra. X, enquanto a tela exibia imagens de uma manada de bisontes se lançando ao vazio de um despenhadeiro. A voz do narrador prosseguiu, relatando suicídios de lemingues noruegueses que se lançam aos bandos de rochas no Atlântico e nadam até determinado ponto do oceano, no qual se afogam. Retornando ao leopardo-das-neves, o programa enumerou diversas e seguidas fases de comportamento vividas pelo animal. Parecia uma montanha-russa de mau humor. Primeiro, tornou-se violento. Precisaram usar o tratador mais antigo do parque para conseguir alimentá-lo, que, apesar de sua experiência, terminou ferido. O animal urrava dia e noite, apavorando visitantes. Depois, desapareceu no interior da gruta do Nocturama para a qual tinha sido transferido. Com o passar do tempo, adotou hábitos totalmente notívagos. Para conseguir vê-lo, somente nos passeios que ocorriam uma vez por mês durante a lua cheia. Mesmo à noite era difícil acompanhá-lo, pois se camuflava pelos cantos ou então se deitava nos galhos que ficavam no topo da árvore no centro de seu cercado. A veterinária começou a esperar pelo pior. Então aconteceu. Como o macho desaparecera de vista havia uma semana, a veterinária solicitou auxílio do tratador e os dois entraram na gruta armados com rifles carregados com tranquilizantes e com lanternas. Era quase impossível enxergar ali dentro. Passados vinte minutos de caminhada, os dois perceberam que o lugar parecia muito mais profundo do que antes. O longo corredor rochoso ganhou algumas dezenas de metros de profundidade. Marcas na parede indicavam que havia sido escavado. Em silêncio, os dois se entreolharam, atônitos. Encontraram o leopardo-das-neves no final da gruta, sob uma rocha. O animal arfava, e seus olhos reluziam na escuridão. Estava deitado em uma poça de sangue e, ao ouvir a voz da veterinária, ergueu a cabeça. A veterinária logo intuiu que o sangue pertencia ao próprio leopardo-das-neves, mas ainda não conseguia ver a ferida devido à posição do animal. Então, ao se aproximar, a veterinária viu que o leopardo-das-neves tinha devorado as próprias patas dianteiras, e lambia os cotos sanguinolentos.

5. O escrivão:
Mariposa fulva

Os depoimentos dos suspeitos foram interrompidos no início da manhã em decorrência do surto que acometeu o taxista. Ao ouvir do delegado que seus cães tinham sido sacrificados, foram necessários três policiais para segurá-lo. Após ser subjugado, aplicaram um sossega-leão nele e o levaram para a cela. Os funcionários estavam excitados, mas o que levou todos ao desatino, incluindo a imprensa, foi a chegada da criatura. Mal a vi entrar pelos fundos do prédio. Estava no interior de uma caixa onde não devia caber mais do que um cachorro médio, com tamanho suficiente talvez para comportar uma criança de dez anos. No entanto, era carregada com esforço por quatro policiais. A caixa servia para protegê-la da luz do dia, embora o sol ainda não tivesse saído. Havia sido encontrada depois de dias de procura em uma galeria lateral no fundo da gruta do zoológico. Estava ao lado do cadáver do leopardo-das-neves. O pessoal ficou meio frustrado pois ninguém conseguiu vê-la, trancada num quarto isolado cujas janelas de vidro foram pintadas de preto. Só fui dispensado do trabalho após toda essa balbúrdia e a chegada do escrivão do dia. De qualquer jeito eu não poderia continuar de plantão, precisava cuidar do velho. Não dava para confiar no funcionário boliviano e nos seus primos que deviam ter chegado à cidade na noite anterior, e que certamente dormiam entre as prateleiras da mercearia naquele exato instante. Como ainda faltava algum tempo para o sedativo perder o efeito e o velho acordar, decidi evitar o metrô e voltei a pé, atravessando os Campos Elíseos no meio da escuridão. Debaixo do pontilhão da Silva Pinto uns vultos saíam do meio do lixo esparramado no terreno baldio que ladeava a linha do trem. Bateu uma sensação de torpor que antes da insônia eu relacionava ao sono. Enfiei a mão no bolso interno da jaqueta para pegar o frasco de Inibex. Não estava lá. Repassei mentalmente todos os pontos da delegacia nos quais havia estado ao longo do plantão, da mesa do cafezinho ao banheiro, da sala do delegado à minha mesa. Não pude lembrar se tinha deixado o frasco em algum desses lugares. Bateu uma paranoia: e se um tira encontrasse o frasco de anfetamina entre as minhas coisas, por exemplo? O sono aumentou e enxerguei tudo turvo, os vultos que saíam da lixeira se multiplicaram, criaram braços e eu não sabia dizer se eram humanos. E quem saberia? Lembravam uma enorme mariposa de asas abertas. Eu precisava de dois Inibex naquela hora, acompanhados de uma dose de uísque. Apertei a passada, deixando o inseto para trás. Mas no meio do trajeto a paranoia comandou e voltei no rumo da delegacia. Os vultos criaram olhos que brilhavam no escuro. Dava para ver as chamas dos isqueiros acesos e o ruído dos cachimbos sendo chupados com avidez.

Quando cheguei à delegacia, a faxineira que varria a calçada perguntou se eu estava louco, o que fazia ali, e o seu pai, quem vai cuidar do infeliz etc. Não respondi e fui direto à escrivaninha, porém não encontrei o frasco. Vasculhei as lixeiras do toalete. Nada. Aproveitei que o delegado do turno da manhã ainda não havia chegado e dei uma olhada em sua sala, sem sucesso. No corredor o escrivão do dia, ainda com cara inchada de ressaca, disse para eu aproveitar que estava ali e ajudá-lo a registrar um BO de furto e outro de lesão corporal culposa e um SVO de não sei o quê. Um PM me chamou de "escravão", olha o escravão da noite aí, ele disse, vai dormir, escravão de polícia, vê se aproveita tua folga, neguinho. Devolvi um sorriso amarelo e caí fora. Aquele idiota não sabia da bravura dos guerreiros comanches. Na porta, perguntei à faxineira se ela tinha encontrado pelo piso um frasco de comprimidos, remédio para pressão alta, expliquei. Ela disse que não. O fedor dos cães envoltos em sacos pretos no estacionamento da delegacia estava insuportável. Perguntei se o pessoal do CCZ não viria cremá-los. A faxineira ergueu os ombros. Tornei a ir embora. O sol saiu, o velho devia estar despertando. Os vultos do terreno baldio tinham sido desintegrados pela luz. No comecinho da manhã, o Bom Retiro volta à vida e é tomado pelos comerciantes coreanos que batem papo nas portas de suas lojas, enquanto os velhos judeus que restaram vão à sinagoga rezar para que em breve possam aumentar o preço do aluguel pago pelos coreanos, e as ruas então são ocupadas pelos bolivianos, por toda a população de Santa Cruz de la Sierra e La Paz juntas, que rezam para Ekeko lhes arranjar dinheiro fácil para retornarem ao seu país, mas na verdade só conseguem ser explorados pelos coreanos, que devem seus aluguéis aos judeus. Como nas cirandas, uns não olham para os outros. Devido talvez a um efeito das bolhas de sono que começavam a flutuar diante dos meus olhos, coreanos e bolivianos começaram a se multiplicar, e adolescentes coreanas de minissaia com livros escolares nos braços sumiam no buraco escuro do metrô, homens bolivianos com bebês de colo paravam nas esquinas enquanto suas mulheres trabalhavam nas oficinas clandestinas de costura dos velhos coreanos que escarravam nos meio-fios, bolhas de sono saíam dos bueiros, explodiam na minha cara que nem bolhas de sabão, bolhas de luz encobriam a esquina da Prates com a Três Rios, eu precisava de meus Inibex, será que o frasco estava esquecido lá em casa? Era bem provável, pois antes de seguir para o plantão eu tinha cochilado uns instantes abraçado ao bisonte na sala de estar, cheguei até a ter um princípio de sonho em que montava o bisonte e ele voava sobre o bairro e eu via lá embaixo a reunião dominical de judeus na antiga *pletzel* e podia ver minha mãe de braço dado com meu pai e com o dr. Glass e era de manhã e eles riam e cantavam a Internacional Socialista bem alto e a voz de minha mãe sobressaía à de todos, os homens e as mulheres se curvavam em torno dela e então um trinado agudo soltado por minha mãe causava uma pane no bisonte voador e ele despencava em meio à *pletzel* em cima de solidéus e quipás e estourava a cabeça das pessoas, que foram pegas desavisadas pois não contavam com outra presença aérea além da divina. Capacetes teriam sido mais eficazes que os quipás. Não dava para ter certeza se aquilo tinha acontecido de verdade, pois ando sonhando de olhos abertos há duas semanas. Quando vi, estava parado diante de casa. Os bolivianos como sempre tinham se atrasado para o serviço e não abriram as portas de correr da loja. Senti uma fisgada no peito. A luz da escadaria continuava acesa e tudo parecia normal. Outra, mais forte. Podia ser mais um ataque de paranoia ou só o começo de um infarto.

A porta de casa estava aberta e a chave do gancho foi esquecida na fechadura. O bisonte não fez nada para impedir a saída do velho, e pior — no chão sob sua barriga, cobrindo quase a totalidade do verde do tapete, havia um montinho de poeira de serragem —, estava sofrendo uma hemorragia intensa. Na cama do quarto os lençóis estavam revirados e só havia a marca de seu corpo sobre eles. O tecido estava frio. Procurei em todos os cômodos do apartamento. Na cozinha encontrei o frasco de anfetaminas: vazio, não restava um só comprimido para matar meu sono. Ao lado do frasco, um copo vazio. Procurei os comprimidos nas lixeiras e vestígios na superfície d'água da privada. Nenhum sinal. Parei diante do bisonte na sala e lhe perguntei bem baixinho o que devia fazer. Não respondeu, apesar de seus olhos estarem fixos em mim. Notei que a serragem sobre o tapete tinha aumentado, ele não estava nada bem. Nem cheguei a pagá-lo e já tinha dado cupim. Desci a escadaria sem me preocupar com o rangido dos degraus e a obra infinita de carpintaria dos cupins sob eles, pisando-os com força e fazendo todo o barulho possível até saltar na calçada. Ninguém me impediu de sair em busca do velho, mas por um segundo desejei que a velha surgisse no patamar e me alçasse pelas orelhas até os céus como castigo. As portas de correr continuavam baixadas, e não havia ninguém à vista a não ser o dono do *bulgogi* do outro lado da rua, um coreano mal--encarado que vendia cachorro assado para seus compatriotas. Aquele era o mesmo coreano de sempre ou seria outro? Podia ser seu filho, neto, sobrinho ou irmão pois são todos iguais. Eu sabia que ele não falava minha língua, mas atravessei a rua e insisti mesmo assim, perguntando aos berros pelo velho, só o coreano poderia tê-lo visto sair, você viu o meu pai sair, hein, seu coreano desgraçado, você viu um judeu velho descer aquela escadaria lá do outro lado da rua e sair por aí sozinho, hein, seu filho da puta? O coreano fez sinal com as mãos para que eu me acalmasse e apontou um sentido da rua com o indicador, dizendo na língua dele, vai, vai, o seu velho foi para a direita, mas como confiar em alguém que não fala minha língua, num homem que faz churrasco de cachorro e vende para os outros? Não tive outra saída.

Contudo na esquina seguinte não havia rastros do velho, só uma multidão de coreanos e bolivianos e nenhum judeu, só adolescentes coreanas sorridentes com minissaias espalhafatosas e bolivianos de todos os tamanhos, bolivianos anões, bolivianos nanicos, bolivianos pequenos, bolivianos médios e parava por aí pois não há bolivianos maiores do que isso, mas eram muitos, além dos coreanos em suas lojas de roupas e confecções e nos seus restaurantes comendo seus *banchans* e seus cachorros assados, e nada do velho ou do dr. Glass e a *pletzel* havia se tornado um cruzamento de ruas qualquer, o bairro não cheirava mais a *chametz* sendo assado, mas a churrasco de cachorro, a *bulgogis* e a *banchans*, os comanches e os bisontes já estavam extintos, não moravam mais ali, estavam em suas reservas em Oklahoma e em Higienópolis, e o velho tinha desaparecido. Se ele havia tomado todo o conteúdo do frasco devia estar caído em algum beco por aí, não era possível que tivesse conseguido caminhar muito em sua condição, nem mesmo animado por quarenta comprimidos de Inibex, meu Deus, o velho devia estar morto ou quem sabe tinha sido recolhido a um ambulatório médico da prefeitura e agora expirava ao lado de pessoas silenciosas como ele, mendigos e indigentes que não sabiam nenhuma história de animal para contar ao velho enquanto seu coração explodia. Comecei a ouvir o ganido dos cachorros vivos nas churrasqueiras e pensei que o velho devia ter cansado de ouvir fábulas e de dormir e que por causa disso tomara o conteúdo inteiro do frasco de Inibex. Para despertar em vez de adormecer.

Ao dobrar na rua Talmud Thorá, vi o velho ao longe, diante de um casarão. A rua estava desocupada, tendo à vista apenas a sombra de uma vendedora no reflexo da vitrine comprida que sumia nos fundos de um magazine cujas luzes ainda pareciam apagadas. O pijama branco do velho era enfunado pelo vento que vinha da esquina próxima, e ele lembrava o mastro frouxo da bandeira de um navio prestes a partir. Qual seria o seu destino? Pensei que os sonâmbulos saem de noite, atravessam o dia a pé e acordam na noite seguinte. Assim, nunca sabem em que tempo estão, e os dias passam mais rápido para eles, de par em par. Caminhei devagar em sua direção de modo a não ser visto. Não queria assustá-lo, mas à medida que me aproximava podia perceber na sua expressão que nada mais o assustaria. Era o que diziam seus olhos e a boca arreganhada e ele arfava, movimentando o tronco no balanço da ventania. Mantinha os braços esticados para a frente numa tentativa inútil de alcançar algo que já lhe havia escapado entre os dedos. Lembrei de seus sumiços noturnos quando eu era criança. Onde iria naquela época? Mesmo esquecido, o velho às vezes costumava repetir algum hábito muito enraizado, era como se o cérebro dele tivesse trilhas batidas que gostasse de experimentar de novo, sempre os idênticos caminhos na floresta, sendo que as árvores que representavam o restante de seu conhecimento além do habitual eram encobertas pela neblina e aos poucos só restasse a trilha rotineira pela qual ele caminhava, mais nada, apenas o velho enveredando em meio ao vácuo da floresta submersa no esquecimento. Observei o casarão no qual ele concentrava sua atenção. Era um sobrado muito antigo que eu conhecia desde criança. Todos os moleques do Bom Retiro diziam que era mal-assombrado. Certa vez vi o dr. Glass saindo dele, devia ter acabado de atender algum paciente. De medo, ninguém ia muito até a Talmud Thorá, que então ainda se chamava Tocantins. Preferíamos dar a volta no quarteirão para desviar dali, pois naquela época a rua era recoberta por uns salgueiros-chorões tão lúgubres que choravam de verdade em noites de chuva. Senti a barriga gelar ao reconhecer na placa do casarão o número 905. Tratava-se do casarão investigado no "caso do passeio noturno". Encontraram-no esvaziado, sem móveis ou objetos. Tinha uma faixa de segurança interditando o local. As portas e as janelas foram lacradas pela polícia. Na hora, não compreendi como deixei de relacionar o endereço tantas vezes citado nos autos — uma informação despida de significado pela rotina? — com aquele casarão. Tomei o braço do velho com cuidado. Como sempre, desde muito antes de a enfermidade surgir, quando eu não passava de um menino, ele olhou para mim sem me reconhecer, e voltou a fixar as janelas fechadas do sobrado. Procurava alguém do qual nem ele mais lembrava. Então o velho abriu a boca recoberta de saliva como se fosse revelar alguma verdade longamente escondida, soltando apenas um murmúrio oco, parecido ao ruído seco que o filamento de uma lâmpada faz ao se queimar.

Sempre me perguntei de onde veio a ideia de que uma vida inteira passa diante dos olhos dos moribundos. Afinal, quem é que voltou do Além para contar o que viu no instante da morte? A idade madura é uma sucessão de esquecimentos que se acentua conforme mais velhos ficamos, primeiro não sabemos onde guardamos a chave do automóvel, depois não temos a mínima lembrança de onde está enfiado o passaporte, e daí datas de pagamentos importantes e eventos aos quais não podemos faltar são esquecidas, a desaparição de objetos, a elisão de compromissos, de recordações que somem em alguma gaveta secreta ou então no vácuo da memória. Resta somente essa esperança que alimentamos dia a dia, a de que no instante final tudo será lembrado, para que enfim a gente possa partir levando a existência em sua integralidade, e não os retalhos e fiapos que nos acompanham nos últimos anos. O que acontecia ali diante dos olhos do velho era mais parecido com a abertura das comportas de um dique, aumentando ainda mais o silêncio no qual se encontrava desde o primeiro momento em que o percebi se desviar de mim na calçada, sem me reconhecer quando eu era criança, desde quando ele próprio surgiu na infância vindo de lugar nenhum, entre imigrantes judeus russos no convés do navio que saía de Bremen em direção a Santos, desde o princípio (pelo fato de ele quase não falar), já a partir daquele instante a verdade é que ninguém além do dr. Glass e de minha mãe jamais pôde saber se ele era *louco* ou não. Depois que o cineminha das lembranças repassou suas matinês e reprises, o velho teve uma síncope. Ali, caído no chão, as veias de seu pulso pareciam mais azuis do que nunca. Sua pele não havia sido tão branca em nenhum outro segundo como naquele. As veias a qualquer momento iriam explodir e tingir o mundo com um anil de céu estrelado, e os retalhos brancos cobririam a Terra numa nevasca imensa. Medi os batimentos cardíacos. Estava à beira de um infarto. Ergui-o no colo e ele pareceu mais leve. Recordar a vida inteira num instante, como observei nas confissões de criminosos, subtraiu seu peso. Num murmúrio, o velho pediu que o levasse dali. Hospital é pra quem tem tempo, disse, me leve pra casa. Carreguei-o através das ruas desertas do Bom Retiro. Não havia mais ninguém nelas além de nós. Aonde os bolivianos e coreanos tinham ido parar, voltaram para casa? Enquanto caminhava, observei os meus dedos em contato com a pele dele, notei a mancha suave e mais clara que fica no corpo quando os dedos diminuem a pressão, e éramos ambos brancos agora, não existia mais nenhum contraste entre nós nesse momento. Os olhos do velho caçavam animais nas nuvens e acho que ele de novo via as fachadas antigas dos prédios demolidos do Bom Retiro de sua juventude que se reerguiam por meio do seu olhar pela última vez.

Em frente à mercearia afinal encontramos o funcionário boliviano. Não estava sozinho. As portas de correr da loja continuavam fechadas, e diante delas havia uma família completa de bolivianos de todos os tamanhos e sexos, uma perfeita escadinha com um boliviano maior no centro, era o nosso boliviano, enfim eu o reconhecia, percebendo diferenças entre ele e os outros ali presentes, e uma *chola* boliviana com sua roupa típica, o chapeuzinho florido de lado na cabeça, atravessado em seu colo havia um bebê boliviano, creio que assim podemos chamá-lo, tão pequenino, envolto em panos coloridos e chupando um sabugo de milho todo babado, ao lado do casal havia quatro ou cinco bolivianos menores (eram incontáveis), cada rosto parecidíssimo um com o outro, e inclusive existia um traço característico muito evidente, pois todos sorriam para mim e para o velho, sorriam de legítima felicidade. Quer dizer que o nosso boliviano não era mesmo um só e a imagem deles ali parados pareceu um perfeito retrato familiar no qual ninguém desapareceu, ao contrário daquele retrato que estava dependurado na parede de nossa casa, e nele todos os papéis eram representados, a mãe, o pai, os filhos, e bem que o funcionário boliviano gostaria que eu os registrasse numa fotografia com suas malas de couro nas mãos, porém eu também tinha as mãos ocupadas e não pude aceitar a câmera fotográfica que ele estendeu enquanto agradecia em espanhol (e como fiquei surpreso ao entender o que dizia), *gracias*, ele disse, *estoy muy contento, muchas gracias por todo*, devido à generosidade do velho e ao trabalho na mercearia ele tinha conseguido reunir o dinheiro, *la plata necesaria para pagar la deuda*, a dívida que tinha com a capataz da oficina de costura que os trouxera ao bairro *para trabajar*, disse, e agora estavam quites e voltavam para sua terra, ao altiplano, a Santa Cruz de la Sierra, falou o boliviano todo sorridente, o ônibus nos aguarda, *gracias*, e havia sobrado algum dinheiro, bastante até, e ele, o nosso funcionário boliviano, o boliviano primeiro e único, pretendia montar uma fábrica processadora de batatas em sociedade com seus primos, *tengo muchos primos*, ele disse, *muchísimos, todos iguales a mí, trabajadores*, afirmou o boliviano, despedindo-se junto de sua família, uma escadinha completa, os filhos perfaziam um time de futebol de salão, inclusive o menorzinho deles vestia uma camisa da seleção brasileira e carregava uma bola de futebol, tchau, *hasta luego, gracias, gracias*. E foram embora. O boliviano, que não era dono de nada, tinha algo que eu nunca teria. Pensei na bênção que devia ser pertencer a uma família na qual todos se parecem entre si. *Felisberto Aimara*, ele disse que se chamava. De repente o boliviano tinha até nome.

Já na escadaria, pude ouvir repetidas vezes a campainha do telefone enquanto subíamos. Dívidas pareciam em vias de serem perdoadas, exceto, talvez, as relativas ao bisonte estacionado sobre o tapete da sala. Acomodei o velho em sua cama e, como o telefone ainda tocava com insistência, fui até o aparelho e o atendi. Pensei nos objetos que deixam de fazer sentido quando uma pessoa desaparece, nas cuecas de um morto atulhando o gaveteiro. Era a mesma voz grossa de antes, uma voz conhecida, quase íntima àquela altura. Falou que sabia da visita ao banco para esclarecer a questão da administradora. Que apreciava a atitude, porém o problema de certa forma, da pior talvez, como eu sabia, estava resolvido. No entanto, ainda desejava falar comigo. Para o devido encerramento dos negócios, ele disse. Expressava-se assim, como se fosse uma pessoa do século retrasado falando diretamente através da linha telefônica, num tom burocrático e com expressões antiquadas. Como se me conhecesse fazia muito tempo. Confirmei o endereço e marcamos um horário aquela tarde. O fantasma emoldurado de minha mãe na parede em frente refulgiu sob raios da luz matutina que invadiu o apartamento. Tudo na imagem, o espelho, o guarda-roupa, a quina da cama de casal ao fundo, a ponta da cortina de voile que invadia a margem da foto, acompanhou sua desaparição. Olhei ao redor o panorama da sala de casa em busca dos móveis e objetos que apareciam até havia pouco na fotografia coberta de luz, e então percebi, isso depois de observar com minúcia os detalhes do retrato ao longo de tantos anos, que o cômodo nela reproduzido não era o mesmo no qual eu estava. Sempre imaginei que após se casarem meus pais nunca viveram em outro lugar que não aquele apartamento. É possível que os objetos tivessem sido alterados, mas não a estrutura do aposento e a localização de suas janelas. Aquela foto havia sido feita em outro lugar. Então, conforme o raio de luz se movia e desviava e o quarto do retrato ressurgia, pude perceber na fotografia detalhes da janela ao fundo, os salgueiros--chorões, as árvores que choravam de verdade na Talmud Thorá quando a rua ainda se chamava Tocantins, como indica a anotação no verso. Lembrei-me então da história que o dr. Glass tinha contado a respeito do sumiço temporário de meus pais no final da gestação de minha mãe, foi no último ano da Segunda Guerra, uma criança que nunca nasceu ou que o casal havia abandonado? As escapadelas noturnas do velho teriam a ver com esse segredo? Mas qual segredo, exatamente? A sucessão de tossidos que chegava do quarto nada esclarecia, só complicava tudo.

    Eu devia ter dez ou onze anos. Foi na tarde em que ganhei do dr. Glass o livro sobre Quanah Parker e os comanches. Naquela manhã eu bati num colega de escola que me chamou de sarará. Um pouco antes de sair do consultório com minha mãe, ele me puxou pelo braço. Disse à velha (que na época não passava de uma linda moça negra) que tinha esquecido de medir minha altura e de aferir meu peso. Para a ficha clínica do menino, o doutor falou, essas crianças exageram nas bobagens que comem e quando voltam já passam dos dois metros de altura. É preciso acompanhá-los, ele disse. Na hora não compreendi o que pretendia, pois minhas medidas já haviam sido tiradas. Depois de fechar a porta outra vez, o dr. Glass me içou pelas axilas, pousando-me sobre o lençol cheiroso da maca, a mesma na qual ele se enforcaria quarenta anos depois. O dr. Glass piscou os olhos azuis sobre os quais cavalgavam duas grossas taturanas brancas e sem pedir licença começou a examinar detidamente minha pele, as axilas, detrás da nuca, o couro cabeludo, a virilha e o ânus, pô, o que me deixou muito envergonhado, e prosseguiu nas palmas dos pés e das mãos, na sujeirinha que ficava entre os dedos, ai, só sei que revirou meu corpo do avesso, e depois vieram as perguntas, muitas delas. O doutor queria saber se eu não sentia coceiras ou se às vezes, por exemplo, quando eu ficava uns dois dias sem tomar banho, pois bem, nessas ocasiões você não tem assim umas vermelhidões na pele dos braços ou nas costas, meu menino, não sente umas comichões e um desejo de arrancar a própria pele com a escova ou então de se enfiar num tonel cheio de ácido sulfúrico, não sente nada disso, meu bom garoto? Então eu apenas fazia ideia daquilo a que se referia, pois sabia que um inimigo do Batman tinha metade da cara derretida por ácido, mas não entendi bem o que o doutor pretendia dizer, e acredito que nem ao menos ele soubesse, pois logo após o exame pediu perdão, dizendo-se esgotado, é fogo, já que perdia noites nos ambulatórios do Desinfectório Central da rua Tenente Pena no combate a doenças contagiosas, ele disse, além disso acontecia uma epidemia de varíola que necessitava ser contida, e então o dr. Glass devolveu minhas roupas reafirmando seu cansaço, abotoou minha blusa, abriu a porta e me empurrou com delicadeza pelos ombros na direção de minha mãe, tchau, que se levantou com cara de preocupada. Ela vestia um conjunto azul-claro e luvas brancas cujo contraste deixava a pele do rosto que apoiava com as mãos ainda mais escura. Na saída o dr. Glass me deu o livro sobre os comanches, dizendo que naquelas páginas eu saberia tudo o que precisava saber sobre os peles-vermelhas, sobre os meus companheiros de bando.

Entre as perguntas que o dr. Glass fez naquela tarde estava uma na qual ele gostaria de saber o motivo de eu ter brigado na escola. Contei para ele que vinha andando na rua com um colega quando o velho apareceu na outra esquina. Apontei meu pai ao colega, falei assim mesmo, olha lá o meu pai vindo, ó como ele é grande e alto e forte. Mas o velho mudou de calçada ao me ver, e o meu colega disse que eu devia estar enganado, e que aquele não era o meu pai, não podia ser, pois nós dois não tínhamos a mesma cor. Foi então que ele me chamou de sarará e eu dei uma porrada nele e nós dois saímos rolando no chão. O dr. Glass então passou a mão enorme dele, a sua mão branca, nos meus cabelos vermelhos, grossos e pixaim. Ele me disse para eu não me preocupar com aquilo, que estava tudo bem e que eu deveria olhar para minha mãe e procurar ser feliz como ela era, quem sabe cantar como ela costumava cantar quando cozinhava, cantar com aquela voz linda que seduziu o velho de tal forma que ele se casou com ela sem ao menos levar em consideração o que a comunidade do bairro pensava sobre um judeu casar com uma brasileira, ainda por cima preta. Ele disse assim mesmo, ainda por cima preta, e eu não estava acostumado a me referir a minha mãe usando a cor da pele dela. O dr. Glass disse, não se envergonhe dos seus cabelos vermelhos e de sua pele preta, ele falou, e dê mesmo porrada em qualquer garoto que te falar bobagem sobre tua pele-vermelha, meu bravo guerreiro comanche, foi assim que ele disse. E depois ele explicou que a palavra sarará era muito bonita e que vinha dos índios, não dos comanches, mas dos tupis, *sara'ra*, e que queria dizer algo assim como um inseto noturno arruivado, uma variedade de mariposa de cor fulva. Foi então que eu descobri que a palavra fulva queria dizer vermelha e achei muito bonita, mariposa fulva, inseto noturno arruivado. Acho que nada pode me definir melhor. Tenho impressão que é isso o que sou, uma mariposa fulva. Um inseto noturno arruivado e negro. Um lemingue que se afoga no oceano. Um comanche cujos bisontes se lançaram no despenhadeiro.

A tosse alta seguida de engasgos a seco interrompeu o devaneio. Eu precisava aliviar a dor do velho. Embora a luz da manhã que entrava pela janela iluminasse o bisonte e o verde do tapete no qual suas patas se apoiavam, deixando a sala tão solar quanto uma pradaria texana, bem ali ao lado o quarto do velho estava mergulhado em penumbra e se alastrava pelo ambiente um cheiro de pomada, meias e urinol pedindo para ser esvaziado. Nasci dez anos após o sumiço de meus pais na época da primeira gravidez de minha mãe. Então os dois já tinham mais de quarenta anos, e quando adquiri a consciência necessária, a sensação era a de que meus pais poderiam ser meus avós, coisa que numa certa medida eles eram, pois nunca tive avós. Bem, talvez o dr. Glass equivalesse a um avô para mim, com seus presentes e sua atenção sempre que aparecia na mercearia ou quando nos encontrávamos nas esquinas do bairro. Devido a isso estranhei o fato de não ter me cumprimentado quando o vi de saída do casarão da rua Tocantins, atual rua Talmud Thorá. Foi na tarde seguinte à consulta. Tenho certeza de que ele me viu naquele dia, porém mesmo assim apertou o passo, sumindo na rua seguinte e deixando meu aceno perdido no ar. Pensei que o doutor estivesse aprontando das suas, pois já era viúvo. Anos depois, ao retornar de minha aventura sionista de coração partido, o dr. Glass pagou umas cervejas e disse que algum dia precisávamos conversar. Tinha uma história que permaneceu não contada com o seu suicídio. Desconfio que estava relacionada àquele casarão, onde um dia funcionou um puteiro. A tosse do velho parou. Na cama, permanecia de olhos fechados, e havia saliva seca em volta da boca até o queixo, cujos músculos relaxados e a arcada dentária inferior projetada para a frente deixavam adivinhar sua face de amanhã. Um ruído seco na sala chamou minha atenção e voltei até lá por um instante. Sobre o tapete verde, o bisonte começou a se movimentar, e sua corcova aos saltos fez com que sua cabeçorra meneasse para os lados, subindo e baixando com delicadeza: o bisonte galopava, animado pela luz solar projetada através da janela. Então da costura em sua barriga irrompeu uma grande quantidade de serragem triturada em pó pelos cupins, encobrindo a superfície verde do tapete, o couro do bisonte se repuxou todo numa vibração súbita, suas pernas arquearam, impedidas de suportar tamanha pressão, e o animal desabou, restando apenas a carcaça vazia que exibia as entranhas de onde saía toda espécie de insetos. O banquete da natureza havia terminado. Foi a segunda morte do bisonte, sua última extinção. O seu fim. Um pigarro do velho me chamou ao quarto. Ele estava de olhos bem abertos, fixados no teto. Então se voltou para mim e pediu que eu lhe contasse algumas histórias de animais. Conte a história sobre a desaparição dos bisontes, filho, ele disse, e repetiu, conte para mim o final daquela história de que você tanto gosta, meu filho. Imaginei-o partindo a galope sobre o bisonte, que afinal não serviu para o impedir de sair, mas para que afinal fugisse. Ele me chamou de filho — de filho.

6. Mundo animal:
Ossos, carótida

1.

O taxista ocultou o automóvel na curva da avenida Miguel Estéfano antes da entrada do Nocturama. Ao descer, observou os sentidos possíveis e constatou que não era visto. Naquele horário, ele havia se informado, só estava por ali a veterinária do zoológico envolvida com o passeio noturno. Sabia que guardas florestais raramente patrulhavam a região do parque à noite. O taxista então se enfiou entre as ramagens que encobriam a grade e constatou que o buraco permanecia no lugar. Não tinha sido consertado. Os cães continuavam em silêncio no banco traseiro do táxi. Olhavam para seu dono com mansidão. Equivaliam a cordas de um violino prestes a serem tocadas, afirmou o taxista. Na extremidade norte do zoológico, a um quilômetro dali, a veterinária afastou com seu bastão os galhos de um arbusto para que a sra. X e a criatura passassem. A veterinária perscrutou o rosto oculto sob o capuz vermelho, mas nada conseguiu ver. Aquele ser estranho, conforme seu testemunho ressaltou. A moça e seu namorado vinham atrás da criatura, que estacou um segundo para farejar a dor de todos aqueles animais aprisionados, voltando a cabeça na direção do vento. O casal ruminava acerca da criatura. A moça gemia no ouvido do namorado algo apavorante sobre dentes fluorescentes. Brilhavam no escuro, a moça tinha certeza, e reafirmou isso diversas vezes no depoimento. O namorado perguntou à moça se ela não estava gostando do passeio. Ela não respondeu. Prosseguiram o trajeto, penetrando a vegetação espessa do Nocturama. Seguiam para a jaula do leopardo-das-neves. A lua cheia iluminava a trilha como um holofote. Do lado de fora, o taxista retirava os rottweilers de dentro do automóvel. Os três cães giraram em círculos e farejaram a grama úmida e ganiram baixinho de excitação. Um deles urinou num tronco caído, sendo seguido pelos outros. O taxista consultou o relógio de pulso. O passeio noturno havia começado fazia uma hora. Era o momento certo. Ele caminhou até a cerca. Em silêncio, os rottweilers o seguiram. Ao atingirem o limiar do parque, o taxista escancarou ainda mais o buraco na grade, cortando o arame enferrujado com seu alicate. Os cães davam sinais de impaciência. Rolavam no chão, de língua de fora. Farejavam o mato e depois o ar, reconhecendo na distância o odor da criatura que experimentaram no tecido do banco do táxi. Então, assim que o buraco na cerca se tornou grande o suficiente para que o ultrapassassem, o taxista soltou os três rottweilers dentro do Nocturama.

Vinte minutos depois, ao atingir a clareira que ficava a quinhentos metros do leopardo-das-neves, o grupo primeiro viu a lua enorme, e então a copa das árvores em círculo refulgindo seu brilho prateado. As estrelas cintilavam e a noite recobria a cidade. Superado o instante de maravilhamento, assustaram-se com o grito dado pela veterinária. No centro da clareira estavam os corpos estendidos de meia dezena de grandes aves. Eram emas que viviam soltas pelo Nocturama. Tinham seus longos pescoços estraçalhados por mordidas de onde o ar saía, ainda quente. Duas delas tiveram as cabeças arrancadas. As condições do ataque que vitimou os animais não podiam ser compreendidas à primeira vista. Inertes sobre a grama, ao seu redor havia pequena quantidade de sangue esparramada. Contudo, os dilaceramentos nos pescoços das aves eram profundos. Poucos predadores podiam causar feridas daquela proporção, talvez um grande felino, mas a veterinária decidiu se calar. Desorientadas, as pessoas começaram a dar sinais de pânico. Um senhor acusou a veterinária de irresponsabilidade por levá-los a um passeio perigoso. Outro ameaçou processar a administração do parque, a prefeitura, o Estado, a República. A moça resmungava ao namorado acerca da presença indesejada daquela criatura no grupo. Não foi ouvida por ninguém, exceto pela sra. X. A situação não melhorou quando, ao procurar contatar a delegacia de Polícia Florestal por meio do rádio, a veterinária percebeu que sua bateria estava descarregada. Depois de examinar os cadáveres, decidiram prosseguir o quanto antes. Havia um abrigo contíguo ao cercado do leopardo-das-neves que poderiam ocupar, informou a veterinária. Todos permaneceriam no local enquanto ela pensaria em outro modo de contatar os guardas. Entre reclamações, os integrantes do grupo tornaram a se organizar em fila indiana. A criatura e a sra. X — que permaneceu quieta durante todo o tempo — foram dispostas no final da fila.

Sentado sobre as raízes protuberantes de um jacarandá no meio da floresta, o taxista só conseguia ouvir música. O som de folhas e galhos movidos pela ventania se misturava à terra sendo pisada pelos cães desaparecendo na escuridão. O jorrar da seiva alimentando testemunhos mudos das árvores. O revigorante reproduzir elétrico das sinapses. O halo lunar emitia vibrações compostas de luz e gases que soltavam notas ao se chocar contra a iluminação elétrica da cidade. As bactérias se multiplicando numa orgia constante sobre a pele. A respiração de cada hipopótamo, tigre, rinoceronte, hiena, elefante, chacal e camundongo adquiria ritmo uníssono, em tom resignado de espera. O sobressalto dos primeiros assassinatos atingindo o clímax do movimento inicial. As séries. As notas. Sequências controladas e previstas em busca da aparição do inesperado. O acaso. As trilhas do Nocturama luzindo na mente do taxista como se iluminadas numa grande perspectiva vista do espaço sideral. Os três rottweilers como elementos livres naquela partitura cujo movimento ensandecido à procura de sangue era o verdadeiro motor a impulsionar sua ópera. Assim, tudo retornava ao seu lugar. A selvageria ao selvagem. A condição de vítima ao que é humano. O fim definitivo do aprisionamento. A epifania. Somos pobres animais, temos apenas os dentes, ele falou em seu depoimento. O taxista carregou o tambor de seu revólver .38, e os ruídos metálicos dos encaixes da trava sendo desligada reuniram-se à sinfonia. Para tudo o que queremos fazer, o bem e o mal, temos apenas os dentes, insistiu para si mesmo. O taxista se ergueu. A vertigem do espaço noturno girando em torno de sua cabeça. Deu dez passos para o lado do matagal e o som de seus pés esmagando folhas secas contribuiu para a composição. Apenas os dentes. Então o taxista passou a ouvir as notas musicais emitidas pelos anéis de Saturno quando são atingidos por meteoritos.

2.

Ao atingirem o posto contíguo à área ocupada pelo leopardo-das-neves, a veterinária procurou acalmar todos. O casal de namorados a preocupava. A moça inspirava cuidados. Era desequilibrada, influenciando o comportamento dos outros. Parte do grupo pertence à associação que patrocina atividades e pesquisas do zoológico. Havia ali alguns senhores que não despertavam a simpatia da veterinária, filantropos cuja arrogância de privilegiados aristocratas era indisfarçável. Gente que exigia de imediato ser colocada fora daquela situação. A mocinha e seu namorado eram filhos de poderosos contribuintes, e se comportavam de modo paranoico. A veterinária suspeitava que os dois tivessem consumido drogas durante o passeio. Houve um momento, quando fizeram uma parada breve, em que os dois se afastaram do grupo. Pode ser que tenham fumado maconha naquela hora, a veterinária afirmou em seu depoimento. Sua suspeita será levada em consideração no tribunal. A veterinária notou que a mocinha lhe daria problemas, como se já não houvesse com o que lidar. Acusou algo de errado com aquela pequena encapuzada, a criatura esquisita que os acompanhava no passeio noturno. A mocinha, provavelmente drogada, descreveu os dentes da menor como fluorescentes. Brilhavam no escuro. Disse ter observado isso cerca de meia hora antes, quando atravessavam a zona mais escura da mata. A veterinária preferiu creditar o comentário da moça ao instante de estresse. Ou quem sabe à maconha? Procurou acalmá-la, mas outras pessoas ouviram suas alegações. A veterinária argumentou que a criatura não demonstrava característica incomum no comportamento, a não ser o fato de usar casaco vermelho com capuz e luvas de couro, o que ela imaginou ser devido ao excesso de zelo de sua acompanhante. De qualquer modo, fazia frio. A criatura era tímida, e ficou o tempo todo no colo da senhora, que a tratava com muita dedicação. Além disso (a veterinária não pôde deixar de perceber), a senhora falava apenas em inglês com sua protegida. Ela então, sem entender por quê, lembrou que treinadores usam o inglês para se comunicar com seus cães. Depois de ouvir as queixas do casal de namorados e assegurar ao grupo que todos estariam fora do parque em alguns minutos, a veterinária saiu em busca do telefone na parede do corredor do abrigo. Tratava-se de um aparelho de rara utilização por parte dos funcionários, e ela torcia para que ainda estivesse em funcionamento. Precisariam dos jipes da Polícia Florestal com urgência para sair da área do Nocturama em que se encontravam.

A caminho do telefone, a veterinária abriu o armário destinado a emergências. De seu interior, retirou um fuzil carregado com dardos tranquilizantes. Enquanto fazia isso, lembrou-se do dia em que ela e o tratador capturaram o leopardo-das-neves no interior de sua gruta. Das feridas horríveis em suas patas. De sua estranha mansidão. Parecia que o animal estava à espera de algo maior e inconcebível. Durante semanas a veterinária se sentiu angustiada. Nunca testemunhara, desde sua residência no hospital veterinário, depressão tão severa num animal em cativeiro. Como se sabe, alterações drásticas no comportamento podem ser causadas pelo aprisionamento, pela maternidade e até por incompatibilidade entre casais de espécies provenientes de regiões distintas. Inicialmente, ela considerava que talvez tivesse sido esse o motivo da rejeição da fêmea, trazida do norte da China, ao leopardo-das-neves provindo das Montanhas Douradas do Altai. Mas a morte repentina dela, assim como a automutilação do macho, eram fenômeno além da compreensão. A veterinária se recordou da gravação de um programa de TV no qual falou da tristeza extraordinária do leopardo-das-neves, e de como não se sentiu à vontade ao fornecer o depoimento. Estranhamente, afinal, pois desde o início da carreira sentia-se à vontade diante das câmeras. Seu anseio secreto era, aliás, um dia ter seu próprio programa de TV, que seria igual àqueles do Animal Planet. Todos diziam que ela tinha o sex appeal necessário, principalmente quando envergava sua roupa cáqui de safári. Mas naquela noite o conjuntinho de caçadora só aumentava sua sensação de ser uma completa fraude. Havia certa revelação que ela não pôde fazer ao programa de TV, proibida pela administração do zoológico de explorar o assunto em público. Enquanto tratavam do animal no ambulatório, ela descobriu que os ossos de seus cotos adquiriram coloração rubro-ferruginosa. Depois de exames para diagnosticar o problema, concluiu-se que o leopardo-das-neves desenvolvera uma deficiência hepática que o impedia de processar enzimas chamadas porfirinas. Com isso, adquiriu hipersensibilidade à luz, daí se abrigar na gruta durante o dia. Devido ao fato, seu pelame ganhou coloração arruivada e começou a cair. Não existia registro anterior de tal patologia em felinos. Era como se o leopardo-das-neves estivesse se desfazendo em pleno ar. Havia se transformado numa mariposa fulva, num inseto noturno arruivado e infeliz.

3.

Em outros tempos, quando chegou ao zoológico, a veterinária foi incumbida de complexas pesquisas no laboratório de genética, grande responsabilidade se comparada à mera ocupação de guia do Nocturama. De certo modo, trabalhar à noite e longe das vistas do público convencional havia sido uma retaliação imposta pelo administrador, cientista rival que sabia das ambições televisivas da veterinária e de seu consequente apreço por reconhecimento. De fato, talvez ela merecesse castigo ainda mais duro. Era uma cientista rigorosa e de sólida formação, mas infelizmente caráter não vem com o ph.D. Trazida de uma universidade norte-americana, a veterinária recebeu a missão de investigar certa epidemia no parque. A praga desconhecida atacava animais notívagos. Lobos e morcegos, por exemplo, desenvolviam estranhos hábitos de hibernação. Em seu repouso, desapareciam por completo. De início, a veterinária suspeitou que estivessem sendo mortos e que não mais se encontravam nos limites do Nocturama. Contudo, depois de algum tempo, foram localizados. Tinham migrado de cercados e das áreas delimitadas, caso dos lobos que viviam em jaulas semelhantes à ocupada pelo leopardo-das-neves. Não se encontraram explicações para a misteriosa transferência dos lobos. Simplesmente não sabiam como atravessaram as grades. A fêmea do leopardo-das-neves, suspeitava a veterinária, sofrera de uma demência similar. Devido ao fracasso em obter respostas para o ocorrido, a veterinária foi rebaixada a guia, redimindo-se um pouco somente ao resgatar o leopardo-das-neves das profundezas da gruta na qual ele se isolou e a posterior descoberta da enfermidade que o consumia. Antes de ser transferida pelo administrador para os passeios noturnos, porém, a veterinária já havia relacionado o início da praga que consumiu os animais de hábitos noturnos e a si própria com a chegada do leopardo-das-neves ao zoológico.

No abrigo, as pessoas aguardavam com aflição o retorno da veterinária. Ouviam passos rápidos na folhagem sob as árvores do lado de fora. O lugar onde permaneciam não passava de entreposto para armazenamento de rações e apetrechos de jardinagem. Não servia para que pernoitassem ali. Não havia naquela fria construção de concreto nem ao menos um banco para que as senhoras sentassem, além de não ser segura para a ocasião. Apenas uma portinhola separava o corredor no qual se escondiam do limiar escuro da floresta. A sra. X estava sentada num canto isolado com a pequena criatura no colo. Sentia-se exausta, não conseguia mais carregá-la. Atônitos, os outros se mexiam como se fossem donos de um só corpo que ia a um extremo e outro do abrigo. Reunidos em torno do casal de namorados, homens e mulheres observavam a criatura adormecida nos braços da governanta. Vozes se embolavam, ecoando no teto baixo do abrigo, e a sra. X não compreenderia o que diziam nem mesmo se pudesse ouvi-los, pois rezava um terço. Ela não podia prever que o passeio resultaria em tantos problemas. Que tipo de animal teria matado aquelas aves? Só Nosso Senhor podia responder, só Deus traria alento, afirmou em sua confissão. A quietude da criatura era tão grande que nem dava para sentir seu coração batendo. Nessas horas a sra. X era tomada de grande ternura, e sentia vontade de acariciá-la, de fazer cafuné como se faz nas orelhas de um cão, apesar de a criatura não ter mais orelhas. De dizer que tudo daria certo e que em breve ela seria feliz. Mas o medo de machucá-la era superior e ela nada fazia. Seu ato final de piedade a livraria de todo sofrimento, tinha certeza disso, conforme testemunhou. Naquele instante a sra. X percebeu a balbúrdia em meio ao restante do grupo. Um homem, o mais arrogante deles, queria sair sozinho para a mata. Dizia que precisava urinar e que não faria isso ali, diante de todos. Sua mulher começou a soluçar, implorando para que não fosse, afinal ninguém se importaria pois uma hora ou outra todos necessitariam urinar. O homem não lhe deu atenção, empurrando-a de lado, e saiu. Depositando com suavidade o corpo da pequena criatura na toalha de piquenique, a sra. X foi acompanhar de perto o que acontecia. Do lado de fora, o homem estava de costas, semicoberto pelas folhagens. Era possível apenas ouvir seus resmungos e o jato fraco de urina caindo no solo, misturado ao ruído da chuva. Pela falta de vigor, devia sofrer da próstata. Só então, ao ombrear-se com o grupo, a governanta reparou nas expressões alheias. O homem se encurvou sobre o próprio tronco como se fechasse a braguilha. E então, após soltar um grito seco, desapareceu na penumbra da floresta, sendo arrastado por forças invisíveis.

Ao retornar ao canto no qual deixara a criatura adormecida, a sra. X percebeu que ela não se encontrava mais lá. A mulher do desaparecido tinha desmaiado, e alguns buscavam socorrê-la. O restante vagava em círculos no corredor mal iluminado. A sra. X baixou as pálpebras e se concentrou, tornando a rezar. Orações, além de a confortarem, aguçavam seus sentidos em situações instáveis. Não que tivesse passado por algo semelhante àquilo, de jeito nenhum, mas ela também teve suas provações. Ah, se teve. Os momentos que antecediam a morte de seus pacientes, por exemplo, costumavam ser de extrema exigência. Quando havia a presença de parentes exibindo seu luto prévio cheio de afetação apenas para disfarçar o interesse na herança, o processo se tornava ainda mais estressante. Caso contrário, quando se tratava de idosos deixados para trás pelas famílias, *a passagem* adquiria contornos suaves, como devia ser, afinal, terminando no silêncio de quando o bipe deixava de soar, assim que as máquinas eram desligadas. Quantas vezes ela fizera aquilo, vencida pela piedade? Não sabia dizer. Lamentou não ter feito mais, não ter atendido aos olhares suplicantes dos pacientes cercados pela histeria que a impedia de agir. Nessas ocasiões, testemunhava a morte dolorosa dos velhos, sufocada pela impotência e pelos gemidos de falsidade das carpideiras de ocasião. Tardavam muitíssimo a morrer, o corpo devastado pela dor, cercados por noras odiosas e cunhados traiçoeiros, filhos desleais e sem amor e mulheres e maridos adúlteros, afirmou em seu depoimento. Por esse motivo nunca formou uma família. Ela se recordava bem da morte dos pais. Sentia-se confortada por tê-los ajudado. Por isso, não casou nem teve filhos. Por isso, pela importância de sua missão. Tais pensamentos a tranquilizaram, então ela abriu os olhos e viu a criatura. Estava de volta, em pé, nos fundos do corredor. De início, a sra. X mal pôde distingui-la. Assim que se acostumou à penumbra, porém, caminhou até ela e aos poucos foi reconhecendo o contorno do capuz e do casaco cinco números maior. Identificou-a em definitivo somente ao ver os olhos que piscavam na escuridão. A sra. X não entendeu como a criatura conseguia, depois de tudo, ainda permanecer de pé.

4.

Após hesitar, a veterinária colocou o fone no ouvido e se certificou de que o aparelho estava mudo. A situação havia saído de controle. Enquanto pegava o fuzil, ela ouviu gritos vindos do abrigo. Algo grave devia ter acontecido, e agora, sem poder chamar os policiais, não sabia o que fazer. A veterinária sonhava ter um programa de bichos na TV, não participar de um reality show bizarro. Não estava preparada para cuidar daquela gente. Devia pensar somente em si mesma, era isso? De todo modo, precisava contatar a polícia, o que não poderia fazer sem rádio nem telefone, afirmou em seu testemunho. Suspeitava que a morte das emas não fora causada por um predador natural da região. Nenhuma jaguatirica poderia cometer chacina semelhante, não naquelas circunstâncias, e não contra um grupo tão grande de emas adultas. Se conseguisse contatar a polícia a tempo, talvez a elegessem heroína do episódio, e teria enfim seu programa de TV. Talvez permitissem que retomasse suas pesquisas. Ela abriu a portinhola e contornou o longo muro de concreto do abrigo em direção contrária àquela em que o grupo se encontrava. Ao final do trajeto, quando ladeava a área destinada ao leopardo-das-neves, deparou-se com o cadáver do homem que saíra para urinar. Seu braço esquerdo se estendia para fora do matagal como se fosse o vencedor de uma prova de natação no solo lamacento. A chuva despencava, encharcando barrancos, ao contrário do que afirmavam previsões meteorológicas para aquela noite. Desnorteada, a veterinária buscou o leopardo-das-neves através da grade, mas só enxergou a silhueta sombria dos rochedos acima da gruta. Talvez ele estivesse lá em cima, em algum lugar, à espreita, apenas aguardando o instante da morte dela, ou então tinha se autodevorado de vez. Ela apoiou a coronha do fuzil na lama e, com esforço, virou o cadáver para cima. Apresentava feridas no pescoço idênticas às encontradas nas emas. Ao erguer-se, a veterinária pensou no que faria para fugirem o mais depressa daquele lugar. Existia uma trilha meio esquecida que levava à saída do parque, mas era repleta de obstáculos. A senhora que tinha carregado a criatura esquisita no colo até então levaria mais de hora para cumprir todo o trajeto. Sozinha, no entanto, a veterinária poderia vencê-lo em quinze minutos. Com isso, decidiu-se e entrou na mata. As unhas sujas de terra do homem não saíam de sua cabeça.

O isolamento da floresta não permite antecipar a espreita. Após cem metros, a veterinária identificou o zumbido ultrassônico de um apito para cães. Estacou um instante para confirmar, mas não teve dúvidas, pois usava instrumento idêntico para treinar seu border collie de estimação. Aquele som tinha a capacidade de viajar quilômetros, e a pessoa que o fazia soar podia estar na avenida que passa em frente ao Nocturama. Treinar cães àquela altura da madrugada não lhe pareceu algo plausível, ainda mais em local tão distante, porém o treinador devia estar de carro e talvez tivesse um celular, o que poderia garantir o resgate do grupo. Também podia ser um policial treinando seu cão. Ela retomou a caminhada com afinco. Não correria, pois riscos de acidente eram altos ali. Enquanto superava com dificuldade algumas árvores derrubadas, enxergou vultos se movendo entre bambuzais ao longo da trilha. Com a lanterna, vasculhou a penumbra. Refletido pela água das poças, o facho de luz produzia espectros. Tornou-se impossível enxergar com clareza, e ela continuou. A lua havia sido encoberta pelas nuvens, e a veterinária acreditou ter visto uma sombra imensa que se estendia pelas copas das árvores. Ouviu passos leves mal tocarem a superfície dos charcos e um resfolegar crescente vindo de todas as direções. Aqueles zumbidos conformavam uma música estranha. Ela calculou que o perigo de se machucar não mais se justificava. E correu, correu com muita força. Seus pés afundaram no lamaçal e em diversas ocasiões viu cobras, que imaginava terem se enrodilhado em suas pernas. Em disparada, os vultos a seguiam, deixando-a a cada metro mais apavorada. A chuva aumentou. Ela desviou de um tronco tombado com a ventania. Endorfinas inundavam o corpo da veterinária, e ela sentiu o que devia sentir uma raposa ao ser perseguida por cães de caça.

O taxista acompanhava os três rottweilers em sua evolução pelo parque. Cada passo assumia o som de uma nota musical. A baba respingando nas poças. Seus pelames curtos e negros resvalavam nos ramos pontiagudos, lembrando lâminas sendo afiadas. Ele deixou de lado o apito e observou os cadáveres das emas no lamaçal. Notou os furos de dentes em seus longos pescoços. Os cães desapareceram entre arbustos. Ele tomou do cajado improvisado com um galho retorcido e prosseguiu a caminhada. Enveredou através da trilha percorrida pelos visitantes. Havia pegadas visíveis do grupo no terreno. Com um soar seco e breve do apito, os cães surgiram, um a um, na curva adiante. Eram disciplinados e retribuíam o amor de seu regente com obediência. Olhos vermelhos no extremo do túnel vegetal. Hálito espesso de suas bocas nublando o ar. O taxista sinalizou com a mão direita e soltou um trilado intermitente e outro mais longo. Os rottweilers saíram em disparada, correndo lado a lado pela trilha sem nem sequer se tocarem, até o lugar onde as pessoas se abrigavam. Seguiam o odor de pele morta e das pomadas que cobriam a criatura. Cânfora. Própolis. Odor de flores. O taxista se lembrou do morador de rua. Havia sido sua primeira caçada humana. *La chasse du cerf* era o nome da composição de Morin correspondente. O morador de rua era forte e deu trabalho. Não se rendeu com facilidade. Foi um desafio e tanto para os bichos. Quando o taxista atingiu o bosque próximo ao lago, o homem voltava a si. Houve tempo apenas para soltá-lo e ele despertou, assustado. Por precaução, o taxista mostrou-lhe o revólver. O morador de rua não esboçou reação a não ser quando percebeu os três cães silenciosos no banco traseiro do automóvel. O CD permaneceu ligado todo o tempo, mas o morador de rua não pôde ouvi-lo, pois seu coração batia alto demais, num volume ensurdecedor. Aquela foi apenas sua primeira contribuição para a evolução musical da peça.

5.

Nas veredas que ladeavam a trilha encoberta por samambaias e cipós do Nocturama surgiam animais peçonhentos no encalço da veterinária em fuga. Rajadas de chuva acertavam o rosto dela, ferindo-a com agulhadas. Nada disso interrompia sua corrida, e ela acompanhava de relance os vultos que a perseguiam e neles voltou a reconhecer bichos doentes tratados no laboratório do zoológico. Ela havia sacrificado aquelas criaturas, como poderiam continuar vivas?, perguntava a si mesma enquanto corria, e então cerrou os olhos (arriscando-se a cair e quebrar um osso), procurando desse modo sumir com lobos e morcegos ou simplesmente se autotransportar dali; os animais, ao contrário, figuraram mais vívidos em sua memória, e ela se perguntou como teria reunido coragem para tratar aquela praga, e até onde sua ambição a levaria (esperava que fosse ao menos até a saída do parque) e qual o sentido do que ocorria, se é que podia existir algum sentido no comportamento humano. Animais também eram imperfeitos, agora ela sabia. Não fazia mais nenhuma idealização deles, tão típicas em veterinários, a perfeição era um mito que não tinha lugar neste mundo: feras selvagens não fingiam. Por isso sua obsessão em trabalhar na TV. Para divulgar aquilo que descobriu: animais caminhavam para a morte, e, assim como os homens, tinham consciência disso. Não havia salvação para os habitantes deste planeta, a agressividade antes restrita à luta para sobreviver fora substituída por violência gratuita. Agora os animais tinham certeza de que iam morrer, e que o melhor era fazer com que os humanos se adiantassem a eles.

Por algum tempo, ninguém falou dentro do abrigo. Todos estavam amuados, cada qual em seu canto, e era possível ouvir apenas uns soluços baixinhos da mulher do homem morto. A mocinha soltou da mão do namorado e disse que precisavam sair para procurá-lo. Deviam criar coragem e agir como seres humanos. Agir como seres humanos, ela repetiu no depoimento. Como seres humanos. O eco no interior do abrigo era tamanho a ponto de parecer que ela tivesse dito essas palavras mais vezes, cem vezes mais. O rapaz então pegou sua mão e disse que a acompanharia. A mocinha considerou aquele gesto mais significativo do que qualquer outra prova de amor que seu namorado já lhe dera e os dois saíram sob a tempestade. De início, não sabiam bem onde procurar. Entrar na mata escura ou permanecer na área descampada em torno do abrigo? Ao ver a chuva e a escuridão, o rapaz se arrependeu de seu ímpeto. Não queria parecer covarde para a namorada. O pai dela era dono de metade de seu bairro. O rapaz gostaria de casar com ela, portanto resolveu encarar a situação. De qualquer modo, àquela altura a veterinária já havia ligado para a polícia. Estariam a caminho?, ele se perguntou. De fato, a veterinária tinha sumido fazia meia hora. Deveria ter voltado. O rapaz decidiu não alertar o grupo a respeito. O pânico podia aumentar. A veterinária era experiente, apesar de sua juventude (como era gostosa), e tomaria medidas para todos sobreviverem àquela enrascada. O casal então decidiu contornar o muro do abrigo pelo lado de fora e ver o que encontrava. Na primeira curva, depararam-se com o cadáver do homem de barriga para cima, tomando chuva. Seus olhos abertos encaravam os pingos sem pestanejar. Sob o luar, adquiriu estranha cor violeta. Fazia pensar em bronzeamento artificial. O rapaz viu o morto e reconsiderou tudo o que lhe importava na vida. Ele nem gostava tanto assim da namorada.

A mulher começou a berrar assim que o casal irrompeu pela porta do abrigo arrastando o cadáver enlameado. A mocinha, vendo tanto desespero, pensou que talvez não sentisse o mesmo se recebesse a notícia da morte do namorado. Havia algum tempo tinha se cansado dele, e em uma ou outra ocasião chegara a duvidar dos sentimentos do rapaz por ela, que sempre teve dificuldades de se entregar a paixões sem relacioná-las a puro interesse. Com esse cara não era diferente, com o agravante de achá-lo meio banana, ela disse. Do lado de fora do abrigo o rapaz não adotou um comportamento lá muito masculino, e ela teve de assumir o comando, relatou em seu testemunho. Não queria passar o resto da existência ao lado de um qualquer, mas não mesmo. Então, distraindo-se do choro da viúva diante do corpo do marido, ela se voltou para a criatura que dormia no colo da sra. X, outra esquisitona, essa velha, mas ela podia jurar que a velha estava ao seu lado no instante em que o homem foi capturado e desapareceu no interior da mata. Se a velha estava sozinha ao seu lado e assistia ao espetáculo, onde então estaria aquele anão manco de capuz vermelho?, disse em seu depoimento. A mocinha se recordava de ter feito essa pergunta a si mesma na hora do incidente, e de ter virado a cabeça para verificar o canto ocupado pela velha e pela criatura: e de ter percebido que a criatura não estava lá.

6.

Quando a mocinha caminhou convicta em sua direção, a sra. X se certificou de que o último passeio da criatura acabara de se confirmar um fracasso. Procurou não acordá-la, entretanto, virando-lhe o rosto de encontro ao peito e o cobrindo com a capa de chuva. Embora ela estivesse ali em seu colo havia um bom tempo, não parecia adormecida, mas hibernando. Não era possível sentir sua respiração. Não fazia dez minutos, medira seu pulso: batia cada vez mais fraco, quase imperceptível. A mocinha estacou diante dela, que continuava sentada de costas para a parede, e colocou os punhos fechados na cintura. Queria saber onde a criança estava enquanto o ataque ao velho acontecia. A sra. X a olhou de baixo a cima e lamentou muito que aquela mocinha não fosse uma paciente terminal aos seus cuidados. Depois de pensar isso, persignou-se em arrependimento, aconchegando ainda mais o corpo inerte da criatura junto a si. Mas a mocinha insistiu, e o namorado se uniu ao interrogatório. Queriam saber por que a criatura estava toda encapotada e o motivo das luvas. Achavam que era estranha demais, assim como aquela situação toda na qual estavam metidos, e que ela só podia ter alguma coisa a ver com o que estava acontecendo. Nesse momento a sra. X interveio. Era somente um ser frágil que viera ao parque passear, nada mais. Seu sonho era ver o leopardo-das-neves. Que os dois parassem de imediato com aquilo, pois estavam sendo inconvenientes num momento ruim. Um homem havia sido morto. Sua tutelada não vinha passando bem, mas Nosso Senhor estava olhando por ela. Pouco convencida pelos argumentos da sra. X, a mocinha se descontrolou. Afirmou que tinha visto olhos vermelhos como os de um predador. Dentes que brilhavam no escuro. Tinha certeza disso, não estava delirando. Não estava louca. Existia algo de muito errado com aquela criatura. Foi a primeira a usar a expressão "criatura" nos depoimentos. Ao ver um fio de saliva escorrendo do canto da boca da mocinha enquanto berrava, o namorado sentiu-se constrangido. Ficou em silêncio, e prometeu dar um fim àquele namoro depois que tudo acabasse. Aquilo era um pouco demais para ele, afirmou em testemunho. Mas não para sua namorada, que arremeteu contra a sra. X, puxando com violência as luvas das mãos da criatura. Então todos os presentes viram que lhe restavam apenas os indicadores e os polegares, e seus outros dedos não existiam mais, pois tinham apodrecido e caído.

O portão principal do Nocturama estava acorrentado e a veterinária não viu saída senão pular. Enquanto escalava a cerca e ouvia a vibração metálica por toda a extensão do alambrado sendo tensionado pelo seu peso, só conseguia pensar na densa escuridão detrás de suas costas. Tinha a sensação iminente de que um monstro desconhecido emergiria de lá a qualquer segundo e a arrastaria de volta para a floresta. No entanto nada disso aconteceu e ela não acreditou quando seus pés pisaram a calçada do lado de fora. Então não era um filme de Spielberg, estava salva? Agora precisava ajudar os outros. Sabia que ainda restava um telefone público em alguma esquina da avenida Miguel Estéfano, mas qual? Ligava primeiro para a polícia ou para um canal de TV? Ela então atravessou a avenida, habituando a visão às luzes amareladas dos postes. Superado o atordoamento inicial, lembrou-se do apito para cães que ouvira de dentro do parque. Procurou quem pudesse estar ali, mas não avistou ninguém. O temporal dava sinais de diminuir quando conseguiu achar o orelhão. Chamou 190, pois não sabia de cor nenhum número desses programas sensacionalistas. A polícia entrou em ação após esse telefonema e iniciamos estes depoimentos. Estas histórias de animais. Então, gaguejando, ela relatou a ocorrência à atendente. Algum predador desconhecido atacara visitantes do Nocturama aquela noite. Em alguns minutos os policiais chegaram, acompanhados da equipe de jornalistas que costuma dividir espaço com viciados na calçada em frente ao 77º DP. Depois de detalhar o que havia acontecido, a veterinária ainda teve tempo para tirar barro seco da face e aplicar a maquiagem emprestada pela repórter. Com sorriso profissional, falou de sombras voadoras e asas enormes que a perseguiram através do parque. De olhos sanguinolentos nas sendas escuras. De seu heroísmo para resgatar vítimas das garras dos predadores. Da dura travessia da floresta em meio ao temporal e da verdade acerca da animália que precisava revelar. Nos seus olhos era possível perceber o brilho da loucura se fortalecendo cada vez mais, e ela já via a si própria miniaturizada e reluzente numa tela de televisão.

Os três cães aguardaram, imóveis, até que o dono os alcançasse. Então o taxista viu a sombra de um homem recortada contra o concreto da parede do abrigo. Ele urinava, com meio corpo entre as árvores. Sem latir, os cães acompanhavam os movimentos do homem abstraído na procura cega pelo zíper das calças após sacudir o pau. Dava para ver que se tratava de um homem educado, pois mesmo naquela situação de perigo e vestindo roupas encharcadas pela chuva se preocupou com a última gotinha de urina que sempre termina na cueca, a gota fatal. Certamente tinha câncer na próstata. O homem fez menção de voltar ao abrigo e, em silêncio, usando apenas um gesto da mão, o taxista ordenou o ataque. Não houve resistência, ao contrário do acontecido com o morador de rua. Nenhuma novidade, apenas dentes seguidos de resignação e uma trepidação de calcanhares afundando freneticamente na lama. O morador de rua, este, sim, havia sido um adversário à altura. Primeiro, para fugir do rottweiler mais jovem e impetuoso, ele mergulhou no lago do bosque. O cão hesitou um instante, e então se atirou na água. Seus dois companheiros mais experientes se limitaram a encorajá-lo com latidos a partir da margem. Sem demonstrar pânico, o morador de rua alcançou um pedaço de madeira no fundo enlodaçado do lago e o levantou acima da cabeça, mirando com precisão a cabeça do animal patinhando, quase a alcançá-lo. O cão nem deu sinais de ter sido alvejado, e insistiu com sanha irrefreável, o que acabou por minar as defesas de seu adversário, obrigando-o a adotar nova estratégia. Ainda brandindo o galho na mão, o morador de rua conseguiu emergir da margem oposta um pouco antes que os rottweilers remanescentes previssem a manobra. Sua intenção era escalar uma árvore o mais rápido possível, desprezando a hipótese de ser abatido a tiros pelo taxista. No entanto, a vegetação daquele lugar só lhe oferecia arbustos e pinheiros, de galhos insuficientemente baixos para serem agarrados. Restou-lhe apenas utilizar os troncos como escudos de discutível eficácia, pois, apesar de seus esforços, em poucos segundos o cão mais jovem conseguiu mordê-lo na garganta. A última nota da execução musical — um dó maior — foi o som da carótida do morador de rua se partindo.

7.

No abrigo a situação havia se descontrolado. Agora a mocinha era dona exclusiva da vontade alheia e aliciou outros adeptos. Até o namorado recuou em suas certezas. A sra. X estava de pé, encurralada contra o corredor, e protegia a criatura contra o peito. Ela, entretanto, ao contrário do grupo que a acossava, permanecia em silêncio. Não existia no lugar qualquer clima para conversa, de modo semelhante às duas outras ocasiões, quando foram ao drive-in, e depois, ao saírem para admirar árvores de Natal. A sra. X planejava tirar a criatura dali o mais breve possível para levá-la ao leopardo-das-neves e a pobre enfim cumprir seu ciclo vital. Temia não haver tempo suficiente para isso, pois não conseguia captar o pulso da criatura e sua respiração estava ainda mais tênue. Com isso, sendo empurrada pela pequena horda contra a parede, aproximou-se da saída. Em um vacilo, porém, quando calculava a distância até a porta, a mocinha e seu namorado arrancaram o corpo inerte da criatura de seus braços. A sra. X já não tinha mais forças, depois de tantas horas de caminhada. Nisso, ao ser apoiada no piso, a criatura despertou, parecendo atordoada e observando suas próprias mãos mutiladas à vista dos outros. Parecia se perguntar onde estavam suas luvas. Insatisfeita, a mocinha puxou o capuz de sua cabeça. Ninguém podia esperar por mais aquilo. A criatura não tinha o nariz, restando-lhe apenas a cavidade nasal no lugar. O branco de seus olhos fora substituído por um rubro intenso, não sendo possível distingui-lo das córneas. Na cabeça persistiam alguns fios de cabelo de aparência hirsuta, como os de um gorila. Havia machucados esparramados por toda a extensão de sua pele amarelada e ressequida. No centro da testa, uma ferida aberta parecia um terceiro olho que lhe tivesse sido arrancado, deixando o globo ocular inundado por pus. A moça foi a primeira a pronunciar a palavra monstro. Depois dela, alguém repetiu. E então todos a acompanharam em coro. Caída, a sra. X erguia os braços em defesa da criatura. Monstro, monstro, monstro, monstro. A criatura então recuou ao fundo do corredor que levava à saída. Suas cicatrizes sumiram na penumbra, permanecendo visíveis apenas a capa de chuva vermelha e suas galochas enlameadas. Seus olhos refulgiram e se apagaram. Mancando, ela desapareceu na escuridão.

Eram duas da manhã. Todos estavam exaustos, jogados nas poças do abrigo, com medo da morte. A viúva mantinha a cabeça apoiada no ombro da mocinha, que mal a suportava. A posição do cadáver de seu marido no centro da cena agora lembrava a de um banhista adormecido na praia com demasiado protetor solar no rosto. Com o sumiço da criatura, a sra. X se tornou o alvo. Colecionava hematomas por todo o corpo. Os ferimentos mais graves foram feitos pela moça e por seu namorado. Como de costume entre compassivos e covardes, ao final o rapaz se revelou bastante violento. Manchas roxas causadas por aqueles filhos e filhas e mães e pais e sobrinhos e sobrinhas e tios e tias, a sra. X afirmou em seu depoimento. E fornicadores e adúlteros e assassinos e pecadores de todo tipo. Feitas por eles, pelos seres humanos. Como antes haviam feito àquele santo homem no Calvário. Pedras e paus e cusparadas. Era o melhor que podiam dar de si, sua própria essência. Não estavam à altura da sua santinha, não chegavam nem perto de seus dedinhos apodrecidos dos pés. Eram selvagens, arruinados pelo pecado e pela crueldade. Estavam abaixo do chão, caídos, soterrados. E a santa sem nariz, sem dedos dos pés e das mãos? Sem orelhas, quase sem vida. Teria fugido para onde, para a floresta? Como era possível que ainda caminhasse depois de todo o veneno posto pela sra. X em sua bebida? Era uma dose muito superior às ministradas aos pacientes terminais, aos velhinhos do hospital de Manchester, aos seus próprios pais, e mesmo assim não dera resultado. Aquela quantia permitiria zero por cento de erro. E os pacientes anteriores eram velhinhos em condições ainda mais frágeis. A sra. X chegou a considerar toda aquela resistência uma obra de Deus. Era mesmo uma santa. Ela então se lembrou: sabia onde a criatura estava. Não podia ter ido a nenhum outro lugar. As pancadas em sua cabeça deviam tê-la atordoado. Talvez não estivesse conseguindo pensar com coerência. Teria calculado mal as doses que havia diluído nos alimentos? Apoiando as costas na parede para não desmaiar, a sra. X se levantou. A Terra girava num ritmo acelerado demais. Não sabia explicar como pensou naquela blasfêmia. Não acreditava que a Terra girasse, ao contrário do que todos acreditam. Ao atingir a clareira sem ser vista, a sra. X viu a lua detrás da chuva caindo sem cessar. Também não podia crer que o homem tivesse pisado na Lua. Não naquela lua lá no céu, era impossível. Tudo aquilo era mentira. Só acreditava na compaixão, conforme confessou. Na compaixão divina e em sua missão de cumpri-la a contento. O céu era o lugar de Deus, não dos homens.

O taxista pensava em um modo de afugentar o grupo do interior do abrigo. Ali podia haver adversários à altura de seus cães, pessoas com grave consciência artística, aptas a contribuir para o êxito de sua ópera móvel. Os rottweilers davam sinais de impaciência. Rondavam o lugar à espera de que alguém saísse. Pareciam atestar a solidez do piso, como fazem os bailarinos ao se aquecer antes dos espetáculos. Duplicados, seus vultos projetavam fantasmas negros nas paredes, então eram seis cães e não somente três. Os cães agora eram enormes e suas bocarras pareciam tão imensas quanto ameaçadoras. O silêncio no parque inteiro era absoluto e a música entrecortada parecia estar prestes a se interromper, tal o esgarçamento de ruídos na floresta. Com a presença dos predadores, os animais permaneciam quietos. O taxista saiu de debaixo das árvores e surgiu sob o foco da luz amarela do poste em frente ao abrigo. Carregava o fuzil de caça que havia encontrado na mata, abandonado pela veterinária em fuga. A arma estava carregada com dardos tranquilizantes, mas ele tinha seu .38. Pensou em invadir o abrigo e disparar a esmo. Isso deveria assustar o restante do grupo, obrigando-o a sair para a floresta. A música voltaria a soar, agora sem interrupção até o final. Seus cães poderiam sair da pausa na qual aguardavam. O taxista viu, entre a treliça de água abundante a cair das calhas da laje, alguém que lhe evitaria o trabalho. Com um gesto, impediu o ataque. Preferiu se aproximar, chapinhando as poças, e avaliar de perto a capacidade de reação do oponente. Ao fazer isso, reconheceu a senhora que levara ao parque junto da criatura de rosto deformado. Mantendo os cães de prontidão, o taxista a seguiu, a partir do limiar das árvores do outro lado, na área das jaulas. Ao dobrar a quina do longo muro de concreto, a sra. X estacou por algum motivo. O taxista não entendeu qual. Talvez ela conseguisse ver algo que ele não podia enxergar de onde estava. O taxista continuou, às escondidas, até visualizar o cenário. E se deparou com o que a sra. X também via: a criatura em pé, com braços aferrados às grades do cercado. Havia se desfeito da capa vermelha. Diante dela estava o leopardo-das-neves sobre as patas traseiras, mais imponente do que seus rottweilers e mais alto do que um homem, e as duas criaturas aleijadas se reconheciam sob relâmpagos iluminando céu e Terra.

I EXPOSIÇÃO MUNDIAL DE RETRATOS DO LEOPARDO-DAS--NEVES – *episódio cinco, no qual um leopardo-das-neves, idoso e solitário, cava na gruta profunda um caminho de volta para a montanha onde nasceu.*

Era uma vez um leopardo-das-neves, o último de sua raça. Por não suportar mais a solidão dos picos nevados onde tinha nascido, ele vagou pelo mundo. Perdeu-se de vez ao amar a voz humana. Por causa dela atravessou o oceano no interior de uma enorme jaula sacolejante. Mareou-se com a oportunidade de salvar sua própria raça da extinção. Tomou tal missão para si como uma ordem inalterável ditada pelo Cosmos que o determinava a se perpetuar, mas que servia no fundo apenas para disfarçar a terrível realidade de ser apenas um prisioneiro, e pior, de ser um prisioneiro enamorado, e pior ainda, de ser um prisioneiro enamorado cujo amor não era correspondido, e esta é a mais inexpugnável das prisões. Com o tempo, essa fatalidade levou-o ao movimento circular e perene ao qual as panteras em jaulas estão fadadas, e ele girou seus músculos tensos ao redor de um ponto gravitacional invisível que parecia orientar o seu destino. Ao passo, a atividade de suas pupilas adquiriu contornos rítmicos que previam um final silencioso e abrupto, no qual galáxias inteiras desapareciam e eram criadas a cada abrir e fechar de olhos. Ter amado a voz humana havia sido o seu fim. Mas existia uma saída, sempre existe uma saída, embora às vezes esta palavra se confunda apenas com o final e não com a possibilidade de escapar. Somente outra criatura semelhante a ele, e que tivesse sofrido as mesmas penúrias, poderia salvá-lo. Rodear o próprio ponto gravitacional numa órbita ondulante e flexível se tornou, portanto, uma dança concêntrica que buscava atrair por meio dos círculos a força que o resgatasse de ser condenado a observar perpetuamente o mundo através das grades. E ele girou dia e girou noite e girou dia e noite e girou e girou e girou, qual uma mariposa fulva em torno de uma lâmpada acesa. Nada, porém, aconteceu. Ninguém o ouviu. Nunca mais sairia daquela prisão. Então, desesperado, o leopardo-das-neves se enfiou em sua gruta e começou a cavar. Através da gruta pretendia atingir o outro lado da Terra, retornar ao lugar onde nascera, atingir as Montanhas Douradas do Altai e morrer. E cavou dia e cavou noite e cavou dia e noite e cavou e cavou e cavou. Ao fazer isso, convencia-se de estar cavando sua própria cova. Contudo, depois de muito cavar, suas forças se esgotaram, e ele caiu numa prostração resignada. Quando fechava os olhos, esperava que não abrissem de novo. Era sua última esperança, a de que seus olhos não mais se abrissem e ele permanecesse para sempre naquela escuridão inerte, morna e silenciosa sob a Terra. Sim, pois ao leopardo-das-neves, que amou a voz humana, o silêncio também era uma espécie de condenação. Entretanto, como é de costume nas fábulas, ele não sabia que os seus esforços haviam surtido efeito, e que aquele insistente girar sobre si mesmo somado à escavação perseverante resultou na dança de força que poderia enfim salvá-lo. Girando sobre seu próprio eixo, ele fez com que a Terra girasse, levando-o de volta ao seu lugar de origem. Alguém ouviu o seu chamado. E esse alguém é você, minha criança, que nesta noite irá salvar o leopardo-das-neves. Hoje à noite você vai cantar para ele.

7. O escrivão:
Animália

O cheiro de carne queimada invade o 77º DP. O pessoal do Centro de Controle de Zoonoses decidiu incinerar os cães ali mesmo no estacionamento, pois já haviam apodrecido. A vizinhança do bairro deve estar chateada por não ter sido convidada para o churrasco. Pelos berros do taxista em sua cela é possível perceber que ele também não está feliz. Os idiotas atearam fogo aos cadáveres sem retirá-los dos sacos pretos, e a fumaça tóxica do plástico invadiu todo o interior do prédio. O taxista aumenta o berreiro. Está desesperado com o sacrifício dos cães. Reage como se tivessem matado seus próprios filhos. A faxineira sacode a cabeça para os lados em desconsolo. Os policiais aproveitaram e saíram para produzir mais fumaça, que tragam lá fora neste instante, enquanto com a mão livre coçam o saco uns aos outros. As mãos estão desocupadas, pois não têm mais a quem perseguir. Nos próximos dias, viciados que ocupavam a Cracolândia até serem expulsos pela polícia se esparramarão pelos outros bairros. Assim que os virem, os moradores irão requisitar à polícia a retirada dos noias de suas ruas limpas. Só assim poderão passear em paz com suas crianças encoleiradas pelas esquinas. Daí os noias voltarão para cá. E os policiais irão às ruas. O velho jogo de gato e rato vai ser restabelecido. Por algum tempo todos vão dormir felizes, menos eu, que não durmo há duas semanas, talvez mais, e os cavalos, que continuarão a ser montados. Cumpro minha rotina de mariposa fulva, de inseto noturno e ruivo. Verifico se existe alguém por perto, estou sozinho. A faxineira também saiu, então aproveito e engulo mais dois Inibex com auxílio do uísque escondido na gaveta da escrivaninha. Não posso dormir, e nem conseguiria. Preciso esperar a manhã chegar. O dia nascer, como dizem, apesar de que este será um dia natimorto. A fumaça preta da cremação dos cães torna impossível continuar no interior do distrito, então saio para dar uma volta na quadra, enquanto o delegado de plantão toma alguma providência. Na rua, observo os morcegos da árvore em frente e os jornalistas cochilando nos carros e na calçada diante do prédio. Ao vê-los, listo na cabeça alguns animais de hábitos noturnos que acabam de ser mencionados pela veterinária na entrevista da TV, felinos como o gato--do-mato, o maracajá, a jaguatirica, a suçuarana, a onça-pintada, o gato-palheiro e o lobo-guará, o jupará, a coruja, a mãe-da-lua, esses morcegos aí, as rãs e os sapos, os repórteres, o gambá, um mão-pelada, um outro mão-pelada, cinco ou seis mãos-peladas, vários mãos-peladas, o urso pardo, que além de ser notívago é solitário, o jacaré e a jiboia, os camundongos e os ratos e essas ratazanas aqui do bairro, os tatus, as hienas, o urso-de-óculos, que deve passar suas noites lendo, os escorpiões, as aranhas, as chinchilas e lontras, as baratas, mas estas costumo ver de dia, provavelmente na hora em que estão indo para a cama, e o cachorro--do-mato, e como deve ser chato ter insônia no mato onde não há nada para fazer, nem para um cachorro e os tigres, os tamanduás-bandeiras, os hipopótamos, os furões e as fuinhas, os ursos polares, quem diria, que não têm culpa de viver num lugar onde a noite dura seis meses, e as mariposas fulvas, as preguiças e os policiais, os bolivianos e os coreanos, os rabinos, os escrivães de polícia e as prostitutas e seus cafetões, as cantoras de boate, os viciados em crack, os taxistas, e os rottweilers do taxista, mas estes já eram, as enfermeiras, todos os entregadores de mercado, as mães e os pais, todos tão estranhos quanto o ornitorrinco, e os insetos noturnos arruivados e o leopardo-das-neves, mas este também está morto e agora voltou ao cume das Montanhas Douradas do Altai. Esses são os animais de hábitos noturnos do Nocturama do zoológico da cidade, deste zoológico aqui, ou costumavam ser. Vinte minutos após sair, quando retorno de meu passeio, o desastre que eu aguardava ocorreu como previsto. Enquanto policiais fumavam e contavam piadas e o pessoal do CCZ consertava o serviço porco feito pelos lixeiros ao atear fogo aos cães, enterrando-os, o taxista se suicidou em sua cela. Enforcou-se com um cinto. Ninguém faz ideia de como o tal cinto foi parar na cela, já que os presos não podem entrar com eles, mas eu faço — se faço. E se todos observassem agora as minhas calças frouxas quase caindo, também fariam.

Hoje, pela primeira vez nos últimos meses, saí de noite do apartamento da rua Guarani para vir ao trabalho sem expectativa de voltar. Não vai ser mais necessário. De manhã, fechei os olhos de meu pai e de tarde compareci, como combinado, ao escritório da Administradora de Recursos Humanos Rosenberg S. A. O endereço fica a meras cinco quadras de casa, numa sobreloja na rua da Graça que conheço desde garoto pois passei em sua frente centenas de vezes, na época do colégio. É um prédio baixo de dois andares, típico do Bom Retiro de outros tempos. Está decadente e sua marquise ameaça achatar pedestres na calçada em dias de chuva. No piso térreo existia um armarinho no qual minha mãe costumava comprar aviamentos e novelos de lã, que depois passou a ser a pequena confecção de um judeu, daí a barbearia do napolitano que deu lugar ao alfaiate sírio, que morreu de diabetes, e então sua porta de correr ficou cerrada durante alguns anos (parece que o filho não pagava os impostos), até reabrir transformado nessa lanchonete frequentada por nordestinos que trabalham na construção civil no bairro. Ao observar a parede da frente do prédio, tive a certeza de que se descascasse com a unha sua pintura a óleo de cor verde, conseguiria ver as tintas anteriores, e encontraria algum rabisco que fiz ao voltar da escola numa manhã de quarenta anos atrás. Apesar de conhecer o predinho, nunca havia percebido o letreiro de metal acima da escada lateral, indicando o nome da administradora em português e hebraico. Ao subir as escadas sapateando, pensei se as baratas não teriam hábitos vespertinos em vez de noturnos. Ou então todas sofriam de insônia igual a mim, pois pareciam bem acordadas. Como a porta do escritório se encontrava entreaberta, empurrei-a sem aviso. Na salinha minúscula de paredes recobertas por lambris e apólices emolduradas, dois velhinhos haredis de ternos pretos cofiavam barbas e olhavam para mim com expressão curiosa e nenhum espanto. Deviam ter a idade de meu pai e do dr. Glass, um pouco mais novos quem sabe, embora não lembrasse de tê-los visto anteriormente pela região. Estenderam para o meu lado uma cadeira cujo estofo de napa furado permitia fazer a autópsia de suas entranhas de espuma, me convidando a sentar. Antes que falassem qualquer palavra, entretanto, anunciei as novidades: meu pai estava morto desde aquela manhã e eu não pretendia, na verdade nem podia, arcar com suas dívidas. Mesmo assim eu gostaria de saber quais eram as transferências e depósitos atrasados aos quais eles se referiram nos telefonemas. De novo sem fazer alarde, o mais alto — reconheci sua voz rouca assim que abriu a boca — disse que eu não devia me preocupar, pois os problemas estavam solucionados. De maneira indesejável, porém solucionados, falou, dando pêsames. Não sei como, já sabiam da notícia. Ele então contou que a Administradora Rosenberg — tratava-se dos irmãos Rosenberg em pessoa — cuidou dos recursos humanos necessitados por minha família nos últimos sessenta e sete anos. Desde o final da Segunda Guerra, disse o irmão Rosenberg mais alto, enquanto o irmão Rosenberg baixinho nos observava em silêncio. É muito tempo, mas dito assim, "cuidar dos recursos", parece indicar que o serviço era difícil, o que não é verdade, ele prosseguiu, ou que era muito importante, o que creio estar mais próximo da realidade, pois era, sim, um serviço essencial que infelizmente não é mais, pois aquilo que o demandava não requer mais nossa atenção, e sim a sua atenção agora, já que voltou aos cuidados da família, às suas mãos. O irmão Rosenberg baixinho então se afastou do batente da porta do banheiro onde se encostava, empertigou-se, ganhando uns dois centímetros a mais de altura, e emendou que a responsabilidade da empresa administradora era selecionar recursos humanos com os conhecimentos necessários, ou seja, profissionais, para administrar o imóvel da rua Talmud Thorá pertencente ao velho e, o mais importante de tudo, cuidar com zelo da inquilina do nº 905. Também explicou que os irmãos Rosenberg tinham entre suas qualidades a discrição, e que sempre se referiram à moradora do imóvel como "a inquilina do nº 905" entre si, ou então "a inquilina da Tocantins" e, depois de a rua mudar de nome, "a inquilina da Talmud Thorá", para que, num possível descuido, alguma outra forma de descrevê-la, talvez indiscreta, não despertasse a atenção de curiosos ou de estranhos ou mesmo de vizinhos do casarão. Nos últimos sessenta e sete anos os irmãos Rosenberg fizeram o impossível e o miraculoso para cuidar das necessidades da inquilina do nº 905, contratando primeiro governantas e depois enfermeiras, conforme o tempo passou e os cuidados médicos com ela se tornaram mais sensíveis. Também atendiam a emergências, e acompanharam o dr. Glass, o saudoso dr. Glass, em suas consultas periódicas e em outras situações inesperadas, em emergências que às vezes aconteciam. Agora, com o falecimento do doutor, não tinham mais como fazer isso. Mas o que se tornou preocupante foi que, com a prostração do velho nos últimos tempos, as transferências bancárias cessaram por completo. Durante alguns meses os irmãos Rosenberg usaram de recursos próprios para pagar os honorários da enfermeira contratada, e, o mais importante, depositaram o valor necessário para a manutenção da casa, mantimentos etc. No entanto chegou o dia em que não puderam mais continuar a investir pessoalmente naquilo, pois o dinheiro, que era curto, acabou. Não sabiam como as duas conseguiram se manter desde então até a noite do passeio noturno no zoológico, mas eu sabia, ou suspeitava, pois o jovem entregador vinha sendo acusado pelo padrinho, o proprietário do mercado coreano, de não dar baixa nos produtos que entregava à sra. X — o rapaz andou ajudando as moradoras do casarão da rua Talmud Thorá. Então o irmão Rosenberg mais alto retomou a palavra, esclarecendo que compreendia que a enfermidade do velho atingiu um ponto no qual ele não tinha mais consciência de suas obrigações com a inquilina do nº 905, impedindo-o de realizar os pagamentos necessários. Toda aquela história era um terrível engano do destino, falou o irmão Rosenberg baixinho, um equívoco sem igual, já que desde o nascimento a expectativa de vida da inquilina do nº 905 não passava de alguns meses, no entanto ela já passava dos sessenta e sete anos, sessenta e sete, quem poderia dizer que alguém tão doente poderia viver tanto? Durante muitos anos, após o prostíbulo fechar e adquirir o imóvel, o velho a visitou todas as noites, você ainda era uma criança nessa época, mas não a sua mãe, a sua mãe nunca a visitou. O velho deu aulas para ela, mobiliou a casa, povoou-a de prateleiras com livros e com o passar dos anos e a consequente recusa do destino em realizar o seu trabalho, nos incumbiu de contratar as governantas necessárias. No início elas duravam pouco tempo, não se adaptavam aos hábitos notívagos exigidos pela condição da inquilina do nº 905, e só a partir daí, do cansaço e dos problemas decorrentes dessa rotatividade indesejada, contratamos profissionais gabaritadas. Acredito que o alto custo dessas profissionais debilitou as finanças do negócio de seu pai, disse o irmão Rosenberg mais alto. A enfermeira atual é a mais cara de todas as que aceitaram o serviço, e a de melhor currículo, nunca chegamos a compreender o que a motivou a aceitá-lo. Com o passar dos anos, o velho não visitou mais a inquilina do nº 905. Havia duas décadas que ele não punha os pés no casarão. Durante alguns minutos os dois irmãos permaneceram em silêncio. Pareciam acompanhar minha assimilação daquilo tudo que tinham acabado de contar. O forte odor de ureia que vinha do banheiro e o chulé centenário que as meias dos velhos irmãos exalavam me deram tontura. Então o irmão Rosenberg mais alto falou que só naquele momento — pela minha expressão de espanto — eles percebiam que eu nada sabia daquele segredo familiar. Mas era compreensível, quando nasci os meus pais já estavam velhos e aquela era uma história muito antiga, mais uma história triste da Segunda Guerra, uma história de outros tempos, de tempos que já não existem mais, de um Bom Retiro que tinha virado fumaça, e além disso o velho nunca foi de falar muito nem de revelar seus segredos.

O insone é um sujeito que é despejado com violência de sua cama quentinha e jogado num deserto frio e iluminado. Não pertence à noite nem ao dia, mas ao limiar, está no meio do caminho. Sob a luz do dia, é levado à loucura, pois caminhar ao sol turva a visão e causa alucinações. A luz, em vez de clarear, torna difusos os contornos daquilo que não é percebido muito bem. Do mesmo modo que a luz afeta o retrato familiar antigo que ficou tempo demais exposto à luz solar e perdeu seus pigmentos. O passado não deixa de ser uma soma de distorções e de mal-entendidos, semelhante à pintura da parede da lanchonete no andar térreo da Administradora de Recursos Humanos Rosenberg S. A., cores encobertas por outras cores sem lixamentos prévios que são encobertas por novas cores. No entanto a cor original da parede permanece ali debaixo, oculta sob camadas que se seguiram a ela, ainda respirando, viva. Diante dos olhares meio incrédulos dos pedreiros que bebem calmamente sua cerveja no balcão da lanchonete, enfiei a unha do polegar na pintura da parede e fui raspando a tinta verde, e a atendente detrás da caixa registradora não pareceu nada feliz com isso. Sob a tinta verde descascada encontrei uma cor cinzenta, depois outra amarela, e branca, e um verde mais claro, novamente amarelo e então o azul de minha infância, aquele mesmo azul de quando eu passava por ali vindo do colégio, quarenta anos atrás, sem desconfiar de como a vida pode ser complicada se não nos ativermos ao tédio dos animais, às nossas vidas monótonas, se não suportarmos a solidão diante da TV ligada. Ainda estava ali, debaixo de todas as tintas posteriores a ela. Não suportar a inação é o início de nossa desgraça. Acima de todas as cores vem o sol, batendo de chapa na parede, subtraindo formas, desaparecendo com tudo, deixando a realidade indefinida. Quando os comanches de Quanah Parker retornaram ao Texas, vindos de sua reserva em Oklahoma, se depararam apenas com um cartão-postal de seu próprio passado, assim pareciam as pradarias texanas recobertas de ossadas dos bisontes mortos pelos caçadores brancos, um postal enviado por algum inimigo irônico de outras eras, pois as Grandes Planícies não passavam então de um retrato esmaecido no corredor. Na área descascada da pintura na parede eu buscava uma janela para o Bom Retiro da época da Segunda Guerra, quem sabe a passagem através do tempo na qual pudesse arranjar explicações com o dr. Glass e com a minha mãe morta, até ser afugentado por pedreiros incitados pela atendente que estava detrás do balcão da lanchonete. Após quase ser linchado por destruir a nova pintura da fachada, voltei à rua Guarani e soube de imediato que nunca mais abriria as portas de correr daquela mercearia. Elas ficariam ali, fechadas, e aquilo que estava no interior da loja, a caixa registradora, a banqueta côncava esculpida pelos fundilhos das calças do velho ao longo de sessenta e cinco anos nela sentado, as flâmulas amareladas do clube trotskista da José Paulino, do Yugent Club e um pôster do time do Corinthians de 1977 com Basílio sorridente, as prateleiras empoeiradas com uns poucos produtos e inclusive o gato e sua sarna, tudo permaneceria para sempre ali guardado como o relicário de um tempo que não existe mais. Talvez, algum dia, a banqueta soltasse um murmúrio baixo em sua lembrança, e as marcas nas tábuas de madeira do piso se recordassem de seus passos. Subi a escada, cruzei os restos mortais do bisonte na sala (os cupins eram os únicos vitoriosos daquela batalha campal sobre o tapete), e entrei no quarto do velho. Para minha tristeza ele continuava imóvel, na mesma posição que eu o havia deixado ao sair. Não se movera nem um só centímetro. Deitei na cama ao seu lado, estiquei meu braço e comparei a cor de nossa pele. Não eram iguais. A dele ficava cada vez mais branca, irrigada por afluentes azuis, muito finos. A minha permanecia escura e opaca, e não era possível ver através dela nenhum vestígio de sangue correndo. Quase negra. Não éramos nem ao menos parecidos. A pele de uma mariposa fulva. Comparei nossos fios de cabelo, os dele branquíssimos, os meus vermelhos, grossos e enrolados como os de um inseto noturno arruivado. Muito diferentes. Sobre o criado-mudo ao lado da cama havia uma xícara de chá pela metade. Observei o leve tremor na superfície do líquido, uma vibração quase imperceptível causada pelos ônibus e carros que passavam lá embaixo, e não pela manada de bisontes se lançando ao vazio do abismo no final da rua, suicidando-se no despenhadeiro, afogando-se no meio do Atlântico como os lemingues da Noruega. E percebi que aquele movimento mínimo no líquido do fundo da xícara em cujo reflexo nossa casa tremia também podia ser o fim da Atlântida, o fim do meu mundo. A extinção dele.

Não durmo há duas semanas. Ou seriam três? Na delegacia, a fumaceira se dissipou e o cadáver do taxista foi removido para o Instituto Médico Legal. O cheiro de carne queimada, porém, ainda impregna o ambiente. A criatura continua na sala dos fundos. Dentre as testemunhas, o entregador menor de idade foi dispensado com a retirada das acusações de furto pelo dono do mercado, seu padrinho, e com a chegada de sua tia do interior. Os pais nem apareceram, de tão envergonhados. Não imagino castigo maior do que o olhar com que a tia o recebeu na saída, tão sentido que incluía cada semana, dia, hora, minuto e segundo de uma condenação a prisão perpétua. Devido ao suicídio do taxista, a sra. X foi algemada em sua cela por segurança e depois conduzida até minha sala. Aí está o monstro disfarçado, usa a máscara cansada de uma velha senhora. Neste ambiente de proporções humanas parece ínfimo, menor que uma barata. Observa a movimentação da delegacia como se nada aqui lhe fosse alheio. A sra. X reza como se Deus ainda estivesse disposto a compreender as palavras de inseto que ela tem a lhe dizer. Funcionários da delegacia se movem em câmera lenta diante do sofá onde ela está, ao lado do bebedouro e da cafeteira que solta sua borra costumeira, emprestando ao ambiente uma atmosfera de anteontem, de cansaço e finitude que nem o fedor de churrasco de cachorro pode superar. Para a sra. X, os funcionários estamos grudados a uma teia de aranha. Não finge espanto com nada disso. Está aprisionada agora, mas é como se tivesse estado desde o nascimento. Faz tempo demais que transcrevo depoimentos de criminosos. Eu já devia ter me demitido. Preciso dormir. Aí estão os monstros. Sempre iguais, nunca os mesmos. Enquanto os demais se mexem, permanecem imóveis como a aranha à espreita. Pensam, e seus pensamentos são aquilo de mais secreto que há no mundo. Chegou a hora de retirar suas máscaras.

O testemunho do jovem entregador do mercado coreano se revelou fundamental, pois foi o único a comprovar a versão oferecida pela sra. X de que o casarão da rua Talmud Thorá, nº 905, estava realmente mobiliado. Contudo, ao ser averiguado por policiais na manhã seguinte aos eventos do Nocturama, verificou-se que o mesmo tinha sido esvaziado durante a noite. No endereço não foram encontrados vestígios da criatura ou qualquer comprovação de sua passagem. Também não existem registros imobiliários e bancários que permitam rastrear a empresa que o administrava ou o proprietário. Os irmãos Rosenberg fizeram bem o seu trabalho. Suponho que a venda dos móveis os ajude a tapar o rombo dos gastos inesperados. De acordo com os depoimentos do taxista, nas circunstâncias em que a viu pela última vez, a criatura estava próxima à jaula do leopardo-das-neves. O animal, segundo o taxista, estava sob as patas traseiras diante das grades. Os dois se encaravam. A criatura então emitiu um ronquido grave que aos poucos foi aumentando até ficar tão alto a ponto de afligir os rottweilers, que caíram em profunda prostração, ganindo e se contorcendo de dor. Sem sair do lugar, a criatura provocou certa modulação, como se afinasse um instrumento interno, e daquela massa sonora indiscernível o taxista reconheceu aos poucos uma melodia tênue que se moldou nota a nota, ficando mais clara, e percebeu que ela estava cantando. Em conformidade ao restante de seu depoimento, o taxista afirmou que aquela foi a apoteose de sua composição musical, calando-se a partir daí. Agora não tem nada a dizer, pois está morto. Apesar do discurso confuso, a sra. X testemunhou de modo semelhante, acrescentando que, ao ouvir a voz da criatura, o leopardo-das-neves se dobrou sobre as duas patas que lhe restavam e se deitou no chão diante dela. Nesse momento a chuva que naquela noite causou estragos por toda a cidade se intensificou, e soaram trovões e relâmpagos. A depoente nada mais ouviu após um grande clarão. Quando voltou a si, a criatura e o leopardo-das-neves tinham desaparecido. Em sua confissão, a criminosa afirmou não compreender como a pobre criatura sobreviveu às doses de potássio que lhe ministrou, contrariamente ao que acontecera às suas vítimas anteriores. Conforme os rumos da investigação permitem supor, e a Interpol tem nos auxiliado nisso, o número de vítimas da sra. X ultrapassa duas dezenas. De acordo com a polícia britânica, os pacientes terminais do hospital de Manchester no qual operou a Enfermeira da Morte (assim a imprensa a chama) foram assassinados por meio de ingestão oral de líquidos corrosivos utilizados em limpeza misturados ao potássio. A sra. X também não entende como a criatura pôde produzir som tão melodioso ao final do passeio noturno, pois não tinha mais língua. Enquanto dormia em seu colo no interior do abrigo, por vários momentos a sra. X chegou a pensar que ela já estivesse morta desde muito antes, quando a conheceu em sua primeira noite de trabalho no casarão. Ao ser recolhida à cela, a sra. X desejava apenas voltar a viver de dia. Somente assim suas mãos talvez deixem de tremer. A primeira claridade ilumina os papéis sobre a escrivaninha, queima a pele fulva de meus braços. O dia surge. Saio da sala e entro no corredor que leva ao quarto dos fundos, onde está a criatura. Paro em frente à porta cerrada e controlo a mão que segura a chave. Na escuridão do interior, sinto um forte odor de flores que inunda todo o ambiente. Caminho como um cego que subitamente voltou a ver até as janelas pintadas de preto e as abro uma a uma, deixando a luz do sol entrar, e então eu falo, olhe pela janela, irmã, olhe para fora, minha irmãzinha, e escute aqui na Terra a música, a música humana.

1ª EDIÇÃO [2013] 1 reimpressão

ESTA OBRA FOI COMPOSTA EM ELECTRA PELO ESTÚDIO O.L.M. / FLAVIO PERALTA E IMPRESSA EM OFSETE PELA GEOGRÁFICA SOBRE PAPEL PÓLEN BOLD DA SUZANO PAPEL E CELULOSE PARA A EDITORA SCHWARCZ EM OUTUBRO DE 2013